This book should be returned to any branch of the
Lancashire County Library on or before the date shown

Alessandra Scagliola

LA PULCE NEL DESERTO

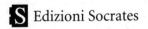 Edizioni Socrates

Copyright © 2007 Edizioni Socrates
Via della Lungara, 3 – 00165 Roma
Tel/Fax 065895895
Sito web: www.edizionisocrates.com
e-mail: scriviallaredazione@edizionisocrates.com

Tutti i diritti riservati

Prima edizione: aprile 2007
ISBN 978-88-7202-030-2

Questo libro è stato stampato su carta riciclata
e non trattata con sostanze inquinanti.

A Daniele, che ha vissuto
nel vento e nella tempesta.

Io porto vento e tempesta.
Ovunque vada, ovunque mi fermi.
Solo chi mi ama veramente
potrà salvarsi.
Ma le ferite resteranno.

I

Era il cinque di maggio e faceva freddo.

Un vento polare soffiava sulla città da oltre un mese, mentre i metereologi si prodigavano a instillare ottimismo con strofe di canzoni... *vedrai che un giorno cambierà, forse non sarà domani...*

La natura, immune dalla malia di previsioni bipedi, rimandava segni inequivocabili: le rose appena sbocciate si erano ritirate in attesa di tempi migliori; il cielo ciondolava tra il grigio chiaro e il grigio piombo ostentando un tedio infinito; gli alberi si spogliavano delle foglie ormai verdi.

Infine, il cortile era ridotto a una distesa di cartacce che si muovevano creando l'effetto di un mare policromo. Dal movimento ellittico di vecchi volantini elettorali, un buon sensitivo avrebbe letto con largo anticipo gli indizi della catastrofe. Ma chi possedeva doti paranormali si era già trasferito al mare da tempo.

Quel giorno apparve il padrone di casa.

Gli inquilini dei piani bassi poterono, per primi, individuarne la testa calva in pericoloso avvicinamento. La speranza che un anonimo proiettile lo colpisse prima di varcare il giardino morì quasi subito: troppo freddo anche per gli assassini.

Piantò le sue autoritarie gambe in cortile, tra il pattume semovente, e richiamò i fittavoli alla finestra con una prodigiosa forza del pensiero.

Nella cornice d'infissi da riverniciare – come quadri senza valore – stavano immobili quattro donne, cinque uomini, tre gatti, un cane, un piccione e un camaleonte. Tutti a guardare l'uomo che, mento in alto, mani sui fianchi e talloni sollevati da terra, avrebbe fatto la sua bella figura su un balcone di piazza Venezia. Tutti a fissare la sua bocca piegata dal desiderio di comizio e da una vaga espressione di sfratto.

«Questa casa è da rifare».

Il dazebao verbale era tutto lì, in quelle cinque parole brevi che anche se sillabate con tono pretenzioso risultavano mestamente composte da vocali e consonanti consuete.

L'entusiasmo dell'uditorio indugiava sulla linea dello zero.

Gli inquilini osservavano l'intruso con la stessa tenerezza che può scatenare una merda appena pestata, disperatamente avvinta alla suola, fisicamente non troppo presente ma dall'odore disgustoso e imbarazzante.

L'intero progetto di ristrutturazione, con tanto di stucchi e cubature, era ben impresso nella memoria del padrone. Niente di scritto. Ciò rendeva oltremodo difficile la posizione degli inquilini, perché negava la rassicurante possibilità di dare fuoco a una piantina o a uno straccio di preventivo.

Lui, il geometra Bernardo Travi, proprietario dello stabile in via delle Acque Basse 8, aveva un file zeppo di dati collocato in una cartella del cervello. Quindi, l'unica speranza restava una pallottola magistralmente sparata in fronte: un mistico terzo occhio, razionalmente indotto da una qualsiasi arma da fuoco.

«Vivete in un letamaio» spiegava il geometra, mentre dietro di lui un grosso gatto rosso inondava di pipì il parabrezza della sua lucida auto station wagon, tedesca, condizionatore di serie, autoradio di platino, coprisedili in cachemire e spoiler arrogante ma di classe.

Le cinque finestre sul cortile erano sbalordite.

La prima in basso a destra presentava un uomo con un piccione sulla spalla, sguardo triste e un ciuffo di capelli bianchi sulla fronte. Accanto a lui, praticamente sull'altra spalla, una donna energica anche nei tratti somatici, trascinata a Ovest dal vento dei Balcani. E poi un cane fortemente meticcio, strabico, con il pizzetto da capra, e una gatta magra, grigia, con la bocca storta a causa di un ictus da stress.

La finestra a sinistra conteneva due uomini, uno con la lunga chioma nera raccolta in due trecce, l'altro rapato quasi a zero.

Sopra di loro una coppia apparentemente più convenzionale: lui con il viso affollato da barba, baffi, capelli, e il muso di un soriano che spuntava dallo scollo a V della maglia. Lei con i capelli rosso carota, occhiali spessi e l'espressione da terrorista dell'Ira.

Al centro della casa, proprio sopra il portoncino verde, si poteva scorgere un accenno di capigliatura e una scheletrica mano appoggiata al vetro, dalla quale sembrava uscire un'immensa donna di colore. Mentre dietro si delineava la rettile sagoma di Pietro il camaleonte.

Di fianco, ad appena pochi metri, in un riquadro di vetro stretto e alto, le immagini immobili di una ragazza con capelli gialli scomposti dalla rigida logica del gel extraforte, e di un gatto nero steso ai suoi piedi.

Volti impassibili: anime in tumulto. Loro amavano quel letamaio; era caldo, accogliente.

Decenni in cui non era stata sostituita nemmeno una maniglia e, all'improvviso, la rivoluzione.

Il vento gelido dell'anomala primavera stava per portarsi via la personalità di quella casa.

I pensieri di uomini e donne protetti dai vetri si potevano idealmente riassumere in un solo concetto: "un bel tumore dentro quella boccia pelata non guasterebbe".

Insomma, la casa è il guscio, la tana, il nido, la casa appunto. Rimetterla a nuovo è come fare il lifting a una settantenne, sembra più giovane ma le viene la bocca a culo di gallina. E soprattutto, il lifting costa.

Ora, di partenza, quello stabile non si poteva definire bello o grazioso, nemmeno abitabile: una tegola pericolante qua e là, le scale impregnate dall'acre odore di pipì felina, ragnatele a balze come vestiti charleston, il neon del primo piano defunto da anni, riscaldamento fai da te, gas a bombole, acqua calda a discrezione di antichi scaldabagni elettrici. Ma il bello di quella casa stava proprio nel senso di caducità che bene si adattava al carattere dei suoi abitanti.

Quindi, nonostante tutto, nessuno voleva cambiare, soprattutto se le opere di rinnovo avevano un prezzo.

Tale decisione fu rapidamente comunicata al geometra Travi che con scarsa proprietà lessicale espose il suo disappunto: «Me ne sbatto! La casa è mia e ci faccio quello che mi pare... se qualcuno non è d'accordo ha solo da prendere i suoi quattro stracci e andare a fare in culo».

Parve abbastanza evidente a tutti il fallimento della missione diplomatica e l'ineluttabile destino di piastrelle e infissi.

A metà maggio iniziarono i lavori di misurazione che durarono più di un mese, come se eseguiti con un metro da sarto.

Il progetto prevedeva una nuova pavimentazione, la messa a norma dell'impianto elettrico, l'allacciamento alla rete di distribuzione del metano, la sostituzione di porte e finestre, nonché la ristrutturazione degli esterni, del cortile e del giardino che sarebbe diventato il territorio di cementosi box auto da affittare a prezzi non modici.

Premettiamo che il giardino era così chiamato solo per pigrizia verbale. In realtà consisteva in un'accozzaglia di erbacce, più o meno ornamentali, tra cui era difficile scorgere un lenzuolo d'orto adibito alla coltivazione biologica di varie verdure. In fondo a esso sorgeva un capanno di discrete dimensioni nel quale il padrone di casa non aveva osato avventurarsi, causa presenza quasi costante di rumori inquietanti. A lato si trovava un pollaio con una decina di galline iperproduttive e una coppia di oche.

Ma in questo disordinato susseguirsi di vegetali inclassificabili c'era qualcosa di veramente bello: un ciliegio gigantesco che, a dispetto del clima, in quel periodo era talmente colmo di fiori da sembrare coperto di neve.

La pianta era motivo d'orgoglio non solo per gli inquilini di via delle Acque Basse numero 8, ma anche per chi abitava nei palazzi vicini. Gente semplice, magari un po' delinquente, che nonostante la vita di seconda scelta che conduceva non mancava di senso estetico. Due di loro lavoravano persino in campo artistico, uno effettuava furti d'opere d'arte su commissione, l'altro eseguiva copie di quadri famosi e li spacciava per quasi veri.

La zona non era un bell'angolo di mondo. Oltre a offrire costanti spunti per la cronaca nera, sembrava essere stata eletta, in tempi assai remoti, quale polo catalizzatore di catastrofi naturali. Bastavano due gocce, una pioggerellina primaverile, per trasformare via delle Acque Basse in una succursale decisamente meno suggestiva di Venezia; se un incendio doveva esserci, divampava tra quelle case fatiscenti; il vento, che alitava con languidi refoli sulla città, nella zona sradicava gli alberi; la nebbia era costante, ad eccezione di due o tre mesi all'anno in cui il caldo raggiungeva picchi innaturali, tanto da sollevare un vapore che in tutto e per tutto somigliava alla nebbia.

Date queste premesse, gli abitanti del quartiere avevano pochi elementi per cui ringraziare la vita. Ma il ciliegio incarnava la speranza di un'esistenza migliore, fatta di natura e di fiori profumati. Guardando dalla finestra, ognuno poteva beneficiare degli effetti miracolosi di quella pianta dalle dimensioni eccezionali.

Proprio a lato dell'edificio numero 8, negli anni '60, il Comune aveva fatto costruire una specie di casermone atto a ospitare i numerosi immigrati giunti in città. I progettatori lo avevano chiamato "Casa dei Mughetti". Ma fin dalla sua nascita, tutti lo avevano ribattezzato "I loculi" per le evidenti analogie strutturali con le residenze cimiteriali. Per riaffermare tali affinità, uno dei primi inquilini aveva messo sulla facciata rivolta alla strada, accanto alla finestra, la foto di tutta la famiglia affiancata da un vaso con fiori di plastica. La vicenda era finita sui giornali, creando non poco imbarazzo all'ente comunale per le case popolari che aveva persino avviato una causa legale. Dopo varie udienze, e numerosi tentativi di plagio da parte dei vicini, il giudice decise che non gliene poteva fregare di meno dell'intera questione. Così l'aspetto funebre della facciata rimase immutato nel tempo e, le ragioni non sono note, chi venne dopo perpetuò la tradizione semplicemente cambiando il ritratto.

Divagazioni a parte, il progetto dei box andava a sacrificare il ciliegio e questa cosa, in zona, non piaceva.

Intanto gli equilibri della casa cominciavano a vacillare sotto i colpi di una ristrutturazione arbitraria.

Più volte gli inquilini si ritrovarono a indire cene sociali durante le quali discutere del problema.

Gli animi erano sempre più accesi, soprattutto da quando risultò evidente quali erano le modalità dei lavori. Infatti, per eseguire tutti gli interventi contenuti nella testa scheletricamente assai capiente del padrone di casa, gli abitanti dovevano effettuare un'ordinata rotazione, spostarsi da un alloggio all'altro per poi tornare, a lavori ultimati, al proprio punto di partenza. Il tutto mobilio compreso.

Era un po' come una sfida al gioco dell'oca, ma molto meno divertente.

Per meglio comprendere la dinamica degli spostamenti è necessario tentare di fare uno schema mentale della disposizione degli alloggi. Identifichiamo con il numero 1 la soffitta, un elemento fondamentale nella storia, in quanto permette la rotazione. Gli alloggi del primo piano sono numerati a partire da destra (2, 3 e 4). Sotto, a sinistra, troviamo il numero 5 e a destra il 6.

Dopo un lungo, ma nemmeno troppo, studio tattico per eseguire le ristrutturazioni, il padrone di casa aveva deciso di procedere per punti:

1. L'inquilino del numero 2 si trasferisce all'1;
2. Ristrutturazione n.2;
3. Il 3 va nel 2;
4. Ristrutturazione n.3;
5. Gli inquilini del 2 e del 3 tornano nei loro alloggi;
6. Il 4 si trasferisce nell'1;
7. Ristrutturazione n.4;
8. Il 5 va nel 4;
9. Ristrutturazione n.5;
10. Torna a casa il 4;
11. Il 6 passa al 5;
12. Ristrutturazione n.6;
13. Il 5 e il 6 riprendono possesso delle loro camere.

Se già così sembra un casino, risulta quasi impossibile comprendere cosa significasse effettivamente attuare questo programma. Per non parlare dei dirimpettai che non si capacitavano di tutto quel movimento di cose, persone e animali che avveniva a qualsiasi ora del giorno e della notte. Anche il baccano era impressionante: piatti che si rompevano, gente che bestemmiava, armadi che prendevano a scendere le scale di propria iniziativa, qualche accenno d'incendio...

Ma andiamo per ordine.

II

O farsi graticolare le chiappe giù all'inferno,
o cominciare a volare.
BLACK LINK

Affermare che l'inquilina del primo piano, quella identifica-
ta con il numero 2, fosse una ragazza bizzarra è assai ridutti-
vo. Ai tempi dei fatti qui narrati aveva quasi diciassette anni,
ma nessuno lo sapeva. Gli estranei credevano fosse una tren-
tenne che mascherava l'età con un look discutibile e gli abitanti della casa erano sufficientemente impegnati a pensare
ai fatti propri per distrarsi in supposizioni.

I tratti del suo viso accennavano origini nordiche. Grandi
occhi azzurri, capelli biondi celati da una tintura giallo
canarino, labbra sottili e severe. Forse era bella ma la trama
di orecchini, piercing e innesti metallici era troppo fitta per
avanzare teorie in merito. Certamente la ragazza possedeva
mani incantevoli: dieci dita lunghe, delicate e dolci, sempre
in movimento come a suonare un pianoforte invisibile.
C'era qualcosa di poetico in quelle mani; c'era qualcosa che
poneva interrogativi sulle borchie, gli abiti neri rammendati
con ostentata imperizia, gli stivali che, da come li trascinava,
dovevano pesare dieci chili l'uno. Le mani tradivano la sua
età, la sensibilità meticolosamente celata dietro un paraven-

to fatto di anelli d'acciaio conficcati nella pelle. Le mani narravano la sua storia.

La sua storia.

Ben era il diminutivo di Maria Benedetta, un nome che rappresentava gli insondabili schemi della genetica. Le madri – premettiamo che tale teoria non ha alcun riscontro scientifico – progettano i figli a loro immagine e somiglianza... certo con qualche miglioria e una sfilza di talenti extra da esibire a parenti e amiche. Poi questi crescono e tradiscono, una a una, tutte le aspettative neonatali.

Ad esempio, sua madre la voleva ubbidiente e intelligente, tassativamente in quest'ordine: un mix comunque improbabile. Ben, invece, faceva sempre l'opposto di ciò che ci si aspettava da lei. Ma non per dispetto, piuttosto per un bisogno innato e non programmato, di assoluta libertà. Era come se la sua mente fosse stata forgiata da un dio anarchico pronto a scagliare sulla terra una donna-bomba, una kamikaze in picchiata sulle portaerei della stabilità.

Quindi, la madre di Ben non era soddisfatta del risultato dei nove mesi di sforzo creativo, dai quali doveva emergere la sua personale opera d'arte. E rifiutava categoricamente di accreditarsi qualsiasi responsabilità: lei aveva lavorato sodo e con perizia, era la bambina che era uscita sinistrata. Era la bambina a smantellare, mattone per mattone, tutte le aspettative materne. Peraltro senza accennare a un minimo senso di colpa, anzi. Maria Benedetta sembrava deriderla con ogni sguardo, sfidarla con ogni gesto, esasperarla con parole che "puzzavano del fiato del diavolo".

A scuola creava problemi: a tratti era come assente, talvolta dormiva, ma di questo le maestre non si lamentavano; in altri momenti se ne usciva con concetti che il corpo insegnante considerava raccapriccianti. Le bastava la traccia di un qualsiasi argomento per dare il via a domande o pensieri quantomeno imbarazzanti per l'uditorio adulto. Non alzava la manina, interrompeva e basta.

«Hei, maestra! Ci ha mai pensato al primo uomo che ha scoperto che si deve morire? Tutti gli altri vedevano che, ogni tanto, qualcuno finiva... ma il primo che ha capito che prima o poi sarebbe toccato anche a lui e a chiunque altro. Dio! Sarà impazzito. Quando ci penso mi viene da urlare».

«La bambina è un po' strana» riferivano cautamente alla madre. Lei tentava di minimizzare, ma era ben conscia delle mostruosità che abitavano la mente della figlia: l'ossessione per la morte e per qualsiasi concetto rientrasse nel campo del macabro, il disprezzo verso qualsiasi forma di regola, forse un cinismo troppo precoce, l'avversione per qualsiasi membro della famiglia (eccetto il cane). Un odio che si percepiva a pelle e che incuteva una sorta di disagio a chi incontrava quegli occhi chiari e freddi.

Un giorno, poi, il cuore di mamma si convertì alla tachicardia, con qualche deviazione verso l'extrasistole. Ai tempi la bimba aveva poco più di otto anni e già da tempo manifestava una certa disposizione a darsi alla macchia. Dopo ore trascorse a cercarla in ogni anfratto nel dedalo di stanze del loro palazzo, la vide come materializzarsi davanti a sé. «Non sei mai dove ti cerco» le disse senza dissimulare la sua profonda riprovazione. E la bimba, con un sorriso da angelo del paradiso, le rispose «Allora, se tu non fossi così irrimediabilmente stupida, smetteresti di cercarmi». Da quel giorno, da quella breve frase priva di vocaboli sfacciatamente volgari, il già fiaccato amore materno si mutò in risentimento.

Maria Benedetta, a dodici anni è diventata Ben e la metamorfosi fu festeggiata con la prima, unica e definitiva fuga da casa. Ammesso si possa parlare di fuga anche quando nessuno ti viene a cercare.

Per tutti, Maria Benedetta era morta al quinto orecchino e alla prima tintura verde dei capelli.

Dai dodici ai quattordici anni, Ben ha viaggiato, si è spostata da una città all'altra, ospite di vari centri sociali e di numerose panchine sparse per l'Europa. Ha fatto sua l'intelligenza artificiale ed è diventata una sorta di icona della pirateria informatica del globo.

Ben aveva solo tre veri amici, i suoi miti: Confucio, Jim Morrison e Black Link. Quest'ultimo, da tempo, era una delle divinità del ristretto Olimpo degli hacker. Lo s'immaginava enorme, bello e imperturbabile, proprio come un dio. In realtà era un sedicenne brufoloso con seri problemi di connessione con quell'insondabile accesso remoto costituito dalle ragazze.

Ben nutriva una vera venerazione per i tre personaggi che, a suo dire, le avevano cambiato la vita. E, date le profonde discrepanze tra le relative personalità, non è difficile comprendere perché la sua vita fosse un caos. Comunque sia, li adorava a tal punto che ne trascriveva le citazioni sentendosi come Mosè sul Monte Sinai.

Poi c'erano le piante carnivore, una passione intensa che le donava la serenità di un giardino zen. Ne possedeva una decina che coccolava come figli, il cui prediletto era una dionaea muscipula che ripagava le cure della ragazza dandole molte soddisfazioni: arrivava a mangiare anche cinque o sei mosche al mese, e a capodanno si fagocitava pure il ragnetto premio.

A pochi mesi dai quindici anni, nella vita di Ben era arrivato Mefisto, meraviglioso gatto nero senza un occhio, e l'incontro segnò una svolta. Il felino guercio pativa gli spostamenti, aveva bisogno di fissa dimora e così Ben è giunta in via delle Acque Basse, dove ha trovato un padrone di casa disposto a non fare domande in cambio di un'adeguata ricompensa in denaro.

Quella sistemazione le è subito piaciuta e si è presto adeguata alle eccentriche regole di buon vicinato fissate dagli altri inquilini: non fare domande sul passato; lasciare la porta aperta, così se qualcuno ha bisogno di qualcosa può prendersela senza disturbare; portare il massimo rispetto per gli animali della casa; non ospitare rappresentanti delle forze dell'ordine; non indire riunioni di condominio ma discutere di eventuali problemi durante una cena offerta dall'interessato, la cosiddetta "cena sociale".

Regole facili da rispettare soprattutto perché molto si avvicinavano alle poche che lei si era imposta nel corso della sua vita.

I suoi vicini le piacevano. Tutti, senza riserve. Gente strana, tanto strana che nel giro di pochi mesi si ritrovò a pensare che in quel posto aveva incontrato la sua vera famiglia.

Persino l'uomo con cui divideva il muro della stanza da letto le era simpatico. Eppure, come gli altri ospiti della casa, non lo aveva mai visto in volto. Ne aveva sentito la voce, questo sì. Ogni tanto, di notte, l'uomo bussava lievemente alla parete. Quello era il codice segreto di due ipotalami inquieti: lui la chiamava e le chiedeva di leggergli qualcosa. Allora lei si avvicinava all'esile divisorio e prendeva a scandire i ritmi di qualche romanzo scaricato da internet.

Anche Mefisto era soddisfatto della sistemazione, quel continuo viavai di gatti, da un piano all'altro, dal cortile alla soffitta, il cibo pronto dietro ogni porta (carne dal vicino e pesce dal piano di sotto), la possibilità di marcare il territorio senza prendersi delle pedate nel didietro, era l'incarnazione terrestre del paradiso felino.

In quella casa da rottamare, l'esistenza di Ben iniziò ad avere un senso e l'inquietudine che le aleggiava nella mente si declinò in una parvenza di tregua, di stabilità. Spesso si ritrovava a pensare quanto quattro mura potessero dare un senso al disordine neuronale, e si spiegava il fenomeno con un semplice sforzo deduttivo: l'anima di una casa non può essere cattiva, quella della gente sì... ed è la cattiveria a sbarellare il cervello.

III

Il primo punto del progetto, il trasloco di Ben, era iniziato con una cena sociale nel cortile. La ragazza aveva cucinato tutto il giorno e quando, dall'antipasto al dolce, tutto era pronto, gli invitati furono convocati dal suono della campanella d'ottone posta al centro del pianerottolo.

Il Signor Carlo Alberto, quello che nessuno (a parte la sua tata) aveva avuto il bene di osservare nei lineamenti, partecipò come le altre volte grazie a una sorta d'interfono che Ben aveva realizzato appositamente per queste occasioni.

Ma quella cena si presentò immediatamente fuori dagli schemi usuali. La tavolata era immensamente più lunga, per accogliere alcuni interessanti outsider che in qualche modo potevano rientrare nel progetto ispirato dalla nuova situazione d'emergenza. Quindi, oltre a Paolo e Francis (la coppia gay), Freeda e Telemaco (la similterrorista e consorte), il Signor Giò (quello del colombo) e Irina (la moglie logorroica), e Mosas (la tata nera della voce nell'interfono), era giunta in via delle Acque Basse numero 8, una numerosa delegazione di personaggi provenienti da "i loculi" o, in forma ufficiale, dalla "Casa dei Mughetti".

Nessuno conosceva i loro autentici dati anagrafici, anche i campanelli delle rispettive abitazioni non offrivano indizi in merito, ma a tutti erano ben noti i nomi d'arte che, con anni di duro lavoro, si erano conquistati.

C'era Arsenio, il collezionista d'arte per conto terzi; il Vecchio Roncola, che girava con l'unico esemplare al mondo di roncola a scatto con la quale, narrava, in tempo di guerra aveva praticato delicati interventi di tonsillectomia a fauci chiuse su una dozzina di soldati tedeschi; Kandinsky arrivava dall'Est e dipingeva copie di quadri famosi persino più belle degli originali; Welches era un tipo dall'incarnato bianco come il latte, con profondi occhi rossi, a suo modo anche lui un artista: con diecimila lire buone ti dava un cinquantamila falso fatto in casa, e a fine stagione ti tirava dietro dei 3 x 2 da farci la fila. Poi c'erano i Cloni, una schiera di cinesi che distinguevi solo dal numero di rughe; le Lagos Sisters, cinque brave ragazze nigeriane, poco avvenenti ma molto richieste, che in passato avevano tentato di rubare una gallina del pollaio. Quando Mosas le aveva pizzicate, loro si erano difese dicendo «Sorella, ci serve per fare un voodoo» e Mosas aveva risposto «Sorelle, se la gallina non torna immediatamente al suo posto, ve lo faccio io un rito voodoo che cagate uova di struzzo per il resto della vostra vita». Poi, c'era Pool, un tale sparapalle che non si poteva abbatterle nemmeno col bazooka; e Robin Hood, un mago nel rubare nell'oreficeria della moglie, per poi rivendere la merce al popolo a prezzi più ragionevoli.

La cena era ricca di portate, e non solo per gli umani. Ben aveva pensato a tutti servendo sardine fresche ai gatti, carne tritata per il cane, mosche spiaccicate in giornata per il camaleonte e semi di miglio per Cristoforo, il colombo del Signor Giò. Ed era un gran vociare, ognuno diceva la sua sull'imminente ristrutturazione e si trovavano concordi su un unico punto: il padrone di casa era stronzo e meritava una terapeutica vendetta.

"Sopprimerlo? Incidentarlo solo un po'?", si chiedeva il popolo mangiante.

Il dilemma era pesante. Telemaco, il saggio di casa, proponeva metodi più raffinati, come il dialogo; la moglie Freeda era per fargli esplodere la lussuosa auto, per iniziare. Il Signor Giò si limitava ad accarezzare il colombo e non profferiva parola, tanto la sua sposa bastava per tutti e due. Nella sua mente, però, i pensieri erano in tumulto, si avvicendavano con velocità stremante, ma non erano rivolti al tema della serata. Stava immaginando di scappare con Cristoforo su un'isola tropicale, dove lui e il volatile forse avrebbero ricominciato a parlare. I cinesi, invece, stavano calcolando quante porzioni di maiale in agrodolce avrebbero potuto servire grazie alla copiosa carne del paffuto padrone di casa.

Alle due di notte erano ancora tutti lì, a meditare una catartica vendetta e, nel frattempo, a programmare il trasloco di Ben.

I compiti furono divisi equamente, c'era chi aiutava a incartare piatti e bicchieri, chi si offriva di spostare i mobili più pesanti; mentre la ragazza si era tenuta la responsabilità di trasportare, con tutta la delicatezza del caso, le piante carnivore, i computer e gli altri marchingegni elettronici che formavano la sua ipertecnologica postazione di lavoro. Più complicato risultò capire come fare a trasferire la fontana con i pesci.

L'oggetto in questione era una grossa vasca rotonda posta al centro del tinello, il che equivaleva a occuparne l'intera superficie, proprio sotto la zona del soffitto vistosamente danneggiata dalle infiltrazioni causate da un enorme buco sul tetto. Buco che il padrone si era sempre rifiutato di far riparare a causa di inafferrabili questioni di competenza. Così, al primo temporale, Ben aveva pensato di esaudire un suo vecchio desiderio, quello di possedere una fontana. L'idea si dimostrò subito azzeccata perché univa il lato estetico alla necessità di arginare le perdite del soffitto.

La fontana, una vera e propria opera d'arte, era stata sottratta alla piccola piazza di un paesino spagnolo: in una notte era scomparsa, senza lasciare indizi, una vasca del diametro di tre metri con delfini, tritoni e altre amenità marine. La gente del paese aveva dato l'allarme alle sei del mattino, quando un passante si era accorto di un anomalo zampillo d'acqua che dopo un volo di circa duecento centimetri finiva direttamente sul ciottolato della piazza. Un caso troppo complicato per gli inquirenti, nessuno aveva visto o sentito qualcosa, il che dava alla vicenda una connotazione soprannaturale.

Comunque, l'abile artefice della sparizione era Arsenio, che dopo un furto a El Prado di Madrid, già che c'era, aveva deciso di portare un presente all'amica che lo aiutava nelle ricerche on line del materiale commissionato dagli esigenti clienti e nell'approntamento di sofisticati attrezzi tecnologici.

All'unanimità fu deciso che l'opera spagnola fosse fatta uscire come era entrata, divisa in quattro, pur pesanti, spicchi.

Alle due e mezza, l'ora del dolce, la compagnia fu turbata dall'arrivo improvviso della polizia. Metà tavolata era riuscita a eclissarsi con un numero degno del Mago Copperfield. Le nigeriane e i cinesi sembravano essersi dissolti nel nulla e anche di Arsenio non c'era più traccia.

«Che sta succedendo qui?» chiese formalmente una specie di macaco in divisa.

«Stiamo cenando» rispose Ben, mentre Mefisto soffiava collerico, gonfio come una zampogna «Perché? C'è qualche problema?»

«Qualcuno si è lamentato...»

Mosas, dopo aver alzato gli occhi alle case vicine, si voltò con angelico sorriso verso il macaco:

«Beh, mica potevamo invitare tutti».

La fase operativa del trasloco iniziò il 15 giugno e fu salutato da un repentino caldo infernale.

Un problema balzò immediatamente agli occhi. Anche più di uno, ma quello in particolare aveva il suo peso. La soffitta non era fornita di servizi. Non solo mancavano un lavandino, una doccia o qualcosa di consimile, non c'era nemmeno il water. Ma non fu questo dettaglio a turbare Ben. Il fatto sconvolgente era l'assoluta assenza di corrente elettrica, anche se una lampadina pendeva fieramente da quella specie di soffitto che la sovrastava. Una lampadina di figura perché, per effetto delle infiltrazioni d'acqua, ogni collegamento era stato soppresso da lunga data.

Ciò significava che per tutto il tempo dei lavori, che si preannunciavano lenti e difficoltosi, anche i suoi computer sarebbero stati morti. "Inaccettabile", pensò Ben.

Persino Mefisto non mostrava di gradire la nuova collocazione, e come spiegare a un gatto che si tratta solo di una situazione temporanea?

L'inquietudine felina trovava sfogo in perfidi dispetti ai danni della coinquilina. Il preferito: titillare con l'unghia la dionaea. La povera pianta si apriva e chiudeva di continuo e a nulla servivano le intimidazioni, a sfondo pseudoscientifico, di Ben: «Così i succhi gastrici lavorano a vuoto, in pochi giorni la pianta si autodigerisce, crepa, e io ti metto la coda nel frullatore». Mefisto se ne sbatteva i baffi e restava ore a osservare quella piccola bocca verde che si chiudeva a scatto ogni volta che lo voleva lui.

La soffitta mancava anche di finestre, per pavimento aveva uno strato di polvere alto cinque centimetri e gli unici esseri che sembravano sentirsi a proprio agio in quella sudicia sauna erano a otto zampe. I ragni, appunto, non mancavano. Ce n'erano di tutti i tipi: pelosi, depilati, magri, grassi, opachi, lucidi, con la croce, col corpo monovolume... sembrava di soggiornare nell'incubo di un aracnofobico.

Un altro particolare interessante era costituito dalla conformazione architettonica dell'ambiente che rendeva possibile la posizione eretta solo nel centro, esattamente nel centro, non un passo di più, non un passo di meno. Come suggerisce la logica, anche i mobili non ci stavano e quindi l'armadio e tutto ciò che superava il metro e ottanta era stato collocato in orizzontale. Lo sdegno generale si gonfiava attraversando l'intero universo della comunicazione, da quella gestuale alla scritta; quest'ultima si manifestava sotto forma di lettere minatorie al padrone di casa che comunque manteneva la sua posizione iniziale, cioè se ne fregava... anzi, di più, pretendeva ugualmente il pagamento dell'affitto, ovviamente in contanti, visto che non esistevano contratti di locazione, né altre prove dell'esistenza di inquilini in quella casa.

Ben era più che arrabbiata, era furiosa: condizione ottimale per lei, la molla della creatività. In meno di venti minuti si era già collegata ai lampioni della strada, che a tratti rivelavano qualche anomalia nel funzionamento, e i computer lavoravano a pieno ritmo. La fontana, che aveva ampiamente sfondato il tetto, era stata riempita d'acqua fresca e le Lagos Sisters la collaudavano tenendoci a bagno i loro affaticati piedi di passeggiatrici.

Mosas era seriamente preoccupata. L'aspetto di Ben non lasciava prevedere nulla di buono. Le palpebre che proteggevano i suoi occhi azzurri avevano assunto una dilatazione un po' folle e Mosas aveva una gran paura della follia di Ben.

IV

Un giorno anche la guerra
s'inchinerà al suono di una chitarra.
JIM MORRISON

Senza alcuna logica temporale, per primi arrivarono i tre operai dell'impresa addetta alla sostituzione degli infissi. In meno di un'ora fu chiaro che il termine "sostituzione" era null'altro che una scadente metafora. I lavori iniziarono dalle finestre che, dopo essere state letteralmente sradicate dalla loro originale collocazione, furono posizionate su pericolanti cavalletti in cortile.

Gli operai erano persone singolari. Pur mantenendo dei lineamenti insignificanti come un comodino dell'Ikea, riuscivano a risultare indisponenti al primo sguardo. Quei prodigi della natura erano già stanchi all'arrivo e man mano che i minuti passavano la spossatezza si sedimentava nelle pieghe dell'umore.

Così, manifestarono i primi sintomi d'insofferenza prendendo a pedate un gatto che tentava disperatamente di marcare il territorio anche sui nuovi utensili comparsi davanti a casa. Il gesto fu visto, registrato e prontamente elaborato dal Signor Giò che guardò eloquentemente negli occhi il colombo sulla sua spalla.

Con fare pigro e sguardo torvo gli operai iniziarono a "sostituire" le finestre, cioè a scartavetrarne la vernice multicolore, espressione della creatività artistica di Ben.

Intanto, ai piani alti, la ragazza intervallava il nevrotico lavoro al computer con attività edili. Una a una, toglieva le tegole del tetto, creando un suggestivo effetto cielo aperto ed un'efficace aerazione dell'ambiente. Mefisto, vinto dalla necessità, si era autoproclamato re dei comignoli, dai quali eseguiva mirabili pisciate paraboliche, rientrando solo per rapidi pasti e per ludici raid antiaracnidi.

La soffitta era diventata meta di pellegrinaggio da parte di numerosi abitanti della zona; qualcuno si portava sdraio e cestino da picnic per approfittare dell'angolo di cielo che si prestava a casalinghi bagni di sole. Rapidamente si era sparsa la voce di quel solarium gratuito e la squallida sistemazione di Ben era già stata soprannominata "la terrazza del Ritz".

La tata Mosas, almeno tre volte al giorno appariva nella cornice della porta, anch'essa soppressa da Ben, armata di cibo finemente tritato e sostegno morale. La ragazza non la degnava di uno sguardo, e allora lei si limitava a berciare «Guarda che c'è anche il couscous caldo... e lo sai, m'incazzo nera se lo si lascia raffreddare»: un adorabile modo per dirle "mi preoccupo per te".

Di norma, il piatto tipico finiva nello stomaco della coppia Paolo-Francis che, con la loro jazz band, ormai facevano parte dell'arredamento. In soffitta suonavano a tutte le ore e, soprattutto la sera, il vicinato si trasferiva sui balconi per assistere al miracolo della musica che li portava lontano, persino a New Orleans.

Perché la musica è vento. E lo stile ne determina tipologia e intensità. Libeccio, monsone, mistrale e aliseo trovano collocazione su carta sotto forma di note che punteggiano il pentagramma. La musica è un vento che rinfresca la mente, che si porta via i pensieri oscuri, che gonfia le onde dell'inquietudine per poi frangerle sulla battigia della calma, che placa l'afa soffocante delle colpe, che spazza via le velleità crudeli, che trasporta in altri luoghi e in altre epoche, che riconduce a casa i ricordi smarriti.

La gente della zona aveva sperimentato quegli effetti miracolosi, ascoltando il ritmo che volteggiava nell'aria come una foglia disidratata. Un ritmo a volte incerto, poi violento, poi triste come un tango argentino, ma mai privo di senso. Come la vita.

E, in quel luogo di "senza dio", non era il Natale a rendere più buoni, ma la musica. Se solo le forze dell'ordine avessero prestato attenzione alle statistiche sulla criminalità, si sarebbero stupiti del vorticoso calo di furti, rapine e omicidi di quel preciso periodo, in quella precisa area della città. E se, ancora, avessero collegato i dati con quella musica, si sarebbero persuasi a sostituire la monotona sirena delle volanti con la *Rapsodia in blu* di Gershwin.

Anche il Signor Giò trascorreva molto tempo da Ben. Non proferiva suono, ma sorrideva estasiato ammirando, di giorno, i disegni bizzarri che gli regalava il volo di Cristoforo; mentre, la notte, se ne stava incollato al suo telescopio convinto che le stelle si muovessero a tempo di swing. Alcune volte, dopo l'una, Ben toglieva la luce pubblica a tutto il quartiere per una mezz'ora e il Signor Giò riusciva persino a trovare un pianeta sul quale sognare una vita migliore per sé e il suo colombo.

Il colombo in questione, in costante collegamento telepatico con il suo alter ego umanoide, aveva messo insieme una banda di volatili con velleità criminali e, a orari pressoché regolari, guidava la spedizione punitiva ai danni degli artisti della cartavetro. Gli operai lavoravano con la persistente sensazione che da un momento all'altro sarebbe arrivata la pioggia di escrementi, vere e proprie armi di distruzione psicologica. Lo stravagante fenomeno, il senso d'incertezza che infondeva, contribuiva a esasperare gli animi. Così, la tensione veniva scaricata con sempre più energiche pedate ai pochi gatti che ancora perseveravano ad avvicinarsi ai tre uomini... «Squallidi figuri capaci di affermare la loro inconsistente personalità dimostrando di dominare esseri più deboli» così li definiva, con un accenno di caustico compatimento nella voce, il saggio Telemaco dell'alloggio numero 4. O semplicemente "teste di cazzo" secondo l'analisi sinottica della moglie Freeda.

Dopo circa una settimana dall'arrivo degli operai dall'inconsistente personalità, ne giunsero altri che, se possibile, esternavano di averne ancor meno.

Prima si presentarono due elettricisti che trascorrevano ore con le mani sui lombi a osservare l'anomalo e spesso inconcludente ghirigoro disegnato dai cavi in casa Ben, sistemati presumibilmente negli anni '60 e variamente reinterpretati.

«Giovanni» disse il primo «riesci a capirci qualcosa?»

«Non so, vedo l'entrata ma non l'uscita... quello là, ad esempio, sopra la porta del bagno, dovrebbe continuare di qua. Vedi, c'è il foro ma manca il filo... e anche le prese, dove sono le prese? Una roba del genere non l'ho mai vista».

«Giovanni?»

«Sì, Carmelo...»

«Ho trovato il contatore!»

«Bene! Dov'è?»

«In una busta della spesa attaccata alla ringhiera del balcone».

«Scommetto che non c'è il salvavita».

Per due giorni gli elettricisti si limitarono a guardare con ammirato stupore l'impianto elettrico e con disgustato interesse gli abitanti della casa. Anche loro sembravano discretamente contagiati da un inspiegabile senso d'incertezza, ma almeno non tiravano calci ai gatti. Questo fece una buona impressione al Signor Giò e al suo colombo.

Gli idraulici erano una folla: giovani, vecchi, alti, bassi, magri, grassi... ricordavano i ragni del piano attico. Iniziarono a spaccare muri e pavimenti in ogni camera, e nonostante l'incessante fracasso che provocavano non mancarono di lamentarsi del baccano che giungeva dalla soffitta. Per inciso, quel baccano erano Charlie Parker, Benny Goodman, Miles Davies, Woody Herman, plagiati, con delicate variazioni sul tema, da musicisti tanto talentosi quanto sconosciuti.

I muratori erano i peggiori: capitanati da un colosso dall'aria snob ridevano di continuo e, è legge, in situazioni di crisi non c'è nulla di più fastidioso di qualcuno che si diverte.

Comunque, questi ultimi parevano essere gli uomini di fiducia del padrone; a loro, il pingue geometra sembrava confessare scomode verità e piani segreti per la distruzione della flora e della fauna del circondario. Stavano delle mezz'ore appartati a confabulare, poi ovviamente ridevano tutti insieme, come se fossero al bar e non sul luogo del disastro.

Gli abitanti della casa furono presto in minoranza numerica e anche in tema d'armi s'insinuavano le basi per una sana preoccupazione. Gli operai avevano pale, picconi e tra-

pani, mentre l'arsenale degli inquilini si limitava a due cate-
ne, un fucile della seconda guerra mondiale, la cerbottana
del bisnonno di Mosas e una spada laser, ancora in fase spe-
rimentale, costruita da Ben. Certo, se ai beni di casa venivano
aggiunti quelli del circondario, il risultato era più confortante... ma un piccone resta un piccone, non c'è niente da fare.

Venne un giorno, però, in cui l'offensiva della zona segnò
un punto significativo.

Potevano essere le due del pomeriggio e nel cortile era
parcheggiata l'auto modello "lusso spinto" del padrone,
un'Audi color topo metallizzato resa un po' meno scintillan-
te dall'effetto opacizzante della pipì dei gatti. Il geometra
Bernardo Travi l'aveva collocata in posizione strategica per
sfuggire a polvere ed eventuali macerie, ma non aveva calco-
lato il fattore umano, che nello specifico era incarnato nel
Vecchio Roncola. Mosas aveva sorpreso l'ottantenne parti-
giano mentre tentava di sfregiare una gomma e, onde evitare
ritorsioni future, aveva cercato di riportarlo alla ragione.

«Roncola... perché?»

«È tedesca!»

«Ma è la macchina del padrone di casa...»

Quella notizia colpì il vecchio che, alla luce del nuovo elemento, si convinse a cambiare i suoi piani.

Quella sera, il geometra si trovò quattro ruote fuori uso.

Dal giorno successivo, la vita si fece più dura. L'insofferenza
verso gli inquilini era unanime e tutti gli operai si adoperaro-
no al fine di rendere oltremodo insopportabile la loro presenza. E ci riuscirono con discreto successo, senza peraltro
incontrare troppa resistenza. Toglievano luce e acqua senza
preavviso, appena potevano rubacchiavano qualcosa, soprattutto in soffitta; attaccavano musica inascoltabile, prevalen-

temente disco-dance, a tutto volume, riuscendo a massacrar-la ulteriormente con cori stonati e sguaiati. Nelle pause ama-vano armarsi di pietre, misurarsi nel tiro al piccione e alle galline, con il risultato di ravvicinare e intensificare i bom-bardamenti dei volatili che ormai osavano avventurarsi anche all'interno dell'alloggio sguarnito d'infissi. Infine, apo-strofavano con codardo tono di voce chiunque entrasse o uscisse dal portoncino verde. Le vittime favorite erano Paolo, il suo compagno e Mosas. Quest'ultima, a dire il vero, incute-va un po' di sano terrore cosicché i pusillanimi operai si limi-tavano a sussurrare «Mi porti un Negroni?», e benché lo ripe-tessero con cadenza esasperante, riuscivano ogni volta a trar-ne uno spunto esilarante. Da parte sua, Mosas non accennava reazioni ma sorrideva, sollevata dall'idea che qualunque suo ipotetico atto futuro ai danni delle presenti maestranze per-lomeno non le avrebbe causato sensi di colpa.

L'alloggio numero 2 fu terminato in poco meno di un mese, giusto in tempo per festeggiare la quarta edizione dell'an-nuale raduno di pulci che si teneva nella casa a partire dal 15 luglio. Come fiori a primavera, si aprivano le uova dei sifo-natteri salterini e i cuccioli salutavano la vita esplorando ogni angolo della casa, cortile compreso, procurandosi le poppate qua e là da balie feline, canine o umane. Gli unici esseri viventi che inspiegabilmente scampavano alla fiera della degustazione erano il Signor Giò e il suo colombo Cristoforo. Quest'ultimo, peraltro, pareva immune dagli attacchi di qualsiasi entità, virus compresi. Persino i gatti della casa, a loro modo genuinamente feroci, con il tempo avevano maturato una sacra forma di rispetto verso quel volatile. Da parte sua, il colombo ricambiava con un atteg-

giamento apertamente tronfio e prepotente: era uno spettacolo interessante da vedere.

Solo a Irina non riusciva a sfuggire. La donna esternava
una stravagante forma di gelosia ogniqualvolta Cristoforo le
capitava a tiro. Ossia, approfittava della momentanea assenza del marito per sottoporre il rivale in amore a docce rigo-
rosamente gelate. E se il Signor Giò poneva interrogativi
fatti di sguardi circa il piccione fradicio, Irina rispondeva
soavemente: «povera bestia, ci ha caldo con tutte quelle belle
piume e si è fatto un bagnetto nella ciotola del cane». Il
Signor Giò era perplesso, soprattutto quando questa stravagante teoria gli veniva propinata anche a gennaio.

L'avvento delle pulci per poco non causò un ammutina-
mento da parte degli operai, peraltro già fiaccati dai proietti-
li fecali dei piccioni. Per due giorni scesero in sciopero, rima-
nendo insensibili alle suppliche del padrone che prometteva
di ristabilire l'ordine quanto prima.

Il Travi era veramente irritato e dal centro del giardino
diramò un comunicato stampa verbale che annunciava l'arrivo imminente di un'impresa di disinfestazione, il cui costo
sarebbe stato diviso equamente tra gli affittuari. Come
risposta ebbe solo una sonora pernacchia ma, intento
com'era a grattarsi uno stinco, non riuscì ad appurarne la
direzione.

V

*Se incontrerai qualcuno persuaso di sapere tutto
e di essere capace di fare tutto, non potrai sbagliare:
costui è un imbecille!*

CONFUCIO

Nel suo lussuoso appartamento in collina, il geometra Bernardo Travi era seduto a tavola ma non riusciva a ingurgitare la cena. Una pulce nell'orecchio, e non si trattava di una mera figura retorica, lo faceva impazzire.

La moglie lo guardava con il solito disgusto occultato da lineamenti partecipi.

«In quella casa, ho visto e sentito cose che mi preoccupano. Una c'ha i capelli gialli... non biondi, proprio gialli e direi che se li pettina con un frullatore elettrico. Poi si è piantata nel naso una roba che sembra un ago da materassaio e tanti anelli su bocca, orecchie e sopracciglia: un orrore!... sempre vestita di nero, tant'è che quando la vedo mi tocco le palle, perché secondo me porta pure rogna. Ma, tutto sommato, non è la più strana. C'è un paralitico con una negra enorme, due musicisti finocchi che non so di cosa vivano, né lo voglio sapere; un tizio che credo sia muto e che gira sempre con un colombo diarroico sulla spalla e una rossa che ha tutta l'aria della terrorista. Roba che se lì dentro ci entra la polizia, fa mettere i sigilli al portone, e casa mia diventa una succursale del carcere. Poi è pieno di bestie. La negra si tiene in casa una specie di lucertolone ripugnante e poi ci saranno almeno una dozzina di gatti, tra quelli dentro e fuori. Ovviamente tutti pisciano come idranti. C'è un odore da vomito, dentro e fuori... parentesi, le bestie le chiamano tutte Piero, Piera e giù di lì. È una casa di pazzi, c'è quasi da aver paura, ma se credono d'impressionarmi con tutte quelle robe strane hanno sbagliato indirizzo».

Breve pausa per ristabilire l'ossigenazione cerebrale.

«Il problema è che non mi ascoltano, non mi portano rispetto... insomma, quella è gente che non prenderebbero manco in un centro di prima accoglienza per clandestini albanesi, e io gli ho dato una casa senza fare storie e per gratitudine mi tagliano le gomme dell'auto e mi spernacchiano quando parlo. Se non fosse che non voglio problemi gli darei lo sfratto a quei morti di fame. Persino gli operai sono allibiti. Nessuno ha ancora capito che lavoro fanno quegli animali... stanno sempre in casa...

Mi hanno detto che quella con i capelli frullati è sempre attaccata al computer e ne ha sei o sette. Gli elettricisti sostengono che lassù i fili della luce sono stati tagliati, e allora come fa a usare il computer? Pensa che a casa sua hanno trovato un impianto elettrico strano da morire. E stavano proprio morendo quei due imbecilli, si sono presi una scossa da restarci sul colpo, e non sono riusciti a capire da dove arrivasse... non c'erano fili!

In casa della rossa, invece, è sempre un viavai di gente con facce da foto segnaletica: hanno tutti la barba folta e dei capelli che a mala pena lasciano intravedere gli occhi. Cos'hanno da nascondere? Perché quando uno si concia così è per non farsi riconoscere. Me lo sento, un giorno o l'altro andrò nei guai per colpa di quei sovversivi.

Un muratore dice che dietro quella porta accadono cose strane, si sentono rumori di salti che cercano di coprire con la musica... anche quella strana.

E la negra? Quella che sta col paralitico? Fa paura a tutti. Me ne sono accorto anch'io, ha uno sguardo da cannibale, sai quelli che vedi nei documentari, con l'osso piantato nel naso?

Precisa!

Solo che il naso perforato ce lo ha l'istrice, la tipa coi capelli gialli.

Cosa mi è venuto in mente di affittare quel gioiellino di casa? Perché una volta era proprio un gioiellino. Poi è arrivata quella marmaglia e me l'hanno trasformata in una chiavica di posto... Ma io so che razza di gente è: sono parassiti che si succhiano il mio sangue... come 'ste stramaledette pulci che non riesco più a togliermi di dosso. Io, piuttosto che lasciarli ancora lì, la brucio quella casa... con tutti dentro... Pieri, Pietri e Pierini compresi. E poi dicono dei rifiuti della società... ecco, proprio rifiuti... bisognerebbe metterli in un sacco e buttarli nel cassonetto. Pazzi, negre, paralitici, cani e gatti: tutti al macero con i loro quattro stracci.

Ingrati e infami! Ecco cosa sono».

La moglie abbandonò la parvenza preoccupata, dando libero sfogo al disprezzo verso l'uomo che non si capacitava di aver sposato.

«È che tu sei un debole, ti fai mettere i piedi in testa. Lasciali per un po' di tempo a me e vedi come rigano dritto».

«Mai!» Si precitò a urlare il Travi. «Quelli me li mangio a colazione. Aspetta che i lavori siano terminati e vedrai che belle sorprese gli faccio. Ho un piano da massacro, tutto qui dentro» si percosse pesantemente la fronte «perché nella mia testa c'è ordine e disciplina. Tutta roba che quei criminali non sanno dove stia di casa e soprattutto nella mia, di casa. Io sono il padrone! Io posso tutto!... e anche di più, se mi gira».

VI

Non parlare di pace e amore:
un uomo ci ha provato e l'hanno crocefisso.
Jim Morrison

A questo punto della vicenda, il programma prevedeva che gli inquilini del numero 3 si trasferissero al 2.

Per l'occasione, la cena sociale venne aperta con la lettura di una missiva. Il luogo era l'alloggio di Ben, fresco di ristrutturazione, completamente vuoto tranne per il tavolo, con i muri perlopiù macchiati di cemento fresco; gli invitati erano quelli strettamente necessari, cioè gli abitanti della casa (pulci comprese); la voce narrante arrivava, tremula e talvolta quasi incomprensibile, dall'interfono.

Il Signor Carlo Alberto, dall'altra parte del muro, declamava la lettera ricevuta, a mezzo posta interna, da quello spilorcio del geometra Travi che non si sobbarcava nemmeno la spesa di un francobollo.

«*Gentile inquilino...* ("Gentile un cazzo!" precisò il lettore).

Mi duole comunicarLe che, causa ristrutturazione in corso, mi si è presentato l'obbligo di non apportare alcuna variazione strutturale agli alloggi. Le varianti da Lei arbitrariamente eseguite su porte e sanitari non saranno e non dovranno essere messe in atto durante o dopo i lavori. Pertanto, anche la richiesta di sostituire la vasca da bagno con una doccia è bocciata.

Comprendo le difficoltà che tale provvedimento arrecherà alla Sua persona, ma in alcun modo sono tenuto a considerare le Sue esigenze, in quanto allo stato attuale l'alloggio non risulta dato in locazione a persona portatrice di handicap.

Certo della Sua comprensione, Le auguro una buona giornata».

E silenzio fu. Un silenzio pesante, quasi rumoroso con tutti quei pensieri che contemporaneamente si affollavano nelle menti.

Mosas serviva il semolino freddo con un'espressione apparentemente impassibile, ma la mandibola pulsava a ritmo di tecno-music; Ben osservava la parete come se guardasse negli occhi l'uomo dall'altra parte; Paolo e Franci tenevano lo sguardo nel piatto, schifati più dalla missiva che dal semolino; Telemaco posava una mano sulla spalla di Freeda, il cui volto era più rosso dei capelli; il Signor Giò carezzava la testolina di Cristoforo che, davanti al generale silenzio, aveva smesso di grugare; mentre la Signora Irina iniziava a mangiare, estrema soluzione per mettere il silenziatore alla bocca. Persino le pulci si limitavano a camminare, come se i salti potessero risultare inopportuni.

Dopo alcuni minuti, Mosas prese una terrina colma di carne tritata e ruppe il silenzio:

«Minios, minios... c'è pappa buona».

La traduzione letterale di "minios" era gatti e "pappa buona" stava per carne fresca. In un attimo si alzò il coro stonato dei felini da appartamento e di quelli da cortile. Coda alzata, zampe veloci e persino un po' rigide, arrivarono nell'ordine Mefisto il guercio, Pierre (il soriano di Telemaco e

Freeda), Pietrina (la grigia, con ictus da esaurimento, del Signor Giò), il trio zingaro composto dal pezzato Peter, la candida Messalina, gravida come al solito, e il rosso Pedro. In fondo alla fila procedeva, con aria timida e confusa, il cane meticcio Abelardo che quando abbaiava saltava come un ballerino di flamenco.

Quando umani e animali furono serviti, la cena ebbe ufficialmente inizio e così anche la conversazione.

«Sto pagando l'affitto pieno» straripò Ben «Vivo in un solaio con quaranta gradi all'ombra, senza cesso, in teoria senza luce, con l'armadio orizzontale e pago come se fossi in casa mia. Trecentomila lire in contanti il primo di ogni mese. Ora ho consultato un avvocato on line e sapete cosa ho scoperto? Che quando il padrone di casa decide di fare certi lavori di ristrutturazione, dovrebbe pagare l'albergo ai suoi inquilini... invece qui giriamo come criceti sulla ruota con i mobili sul groppone, e sborsiamo soldi per il disturbo».

«Quel filibustiere si aspetta che balzi nella vasca da bagno con tanto di sedia a rotelle...» aggiunse dall'interfono il signor Carlo Alberto.

«Beh, però ci sistema la casa. Insomma qua fa schifo, va bene giusto per le pulci... e lui ci rende più dignitosa la sistemazione». Ebbe il coraggio di azzardare Irina, mentre Cristoforo la fissava con aperta ostilità.

Freeda le lanciò un'occhiata da sciogliere un iceberg. Uno sguardo del genere avrebbe fatto comodo sul Titanic.

«Crede che sia gratis? Quel bastardo, se va bene ci raddoppia l'affitto e se gli gira è capace di sbatterci tutti fuori. D'altra parte è quello che sta facendo con Carlo Alberto: gli rende impossibile vivere nel suo alloggio. È capace di darci il tempo di imbiancare questo schifo di pareti e poi ci sbatte in mezzo alla strada... prima però gli faccio vedere io cos'è un handicap permanente.»

«Calma» sbottò Mosas «per ora si fa un bel nulla. Ci vuole calma per ragionare. Con la forza non possiamo ottenere nulla, a parte una sistemazione con contratto decennale in galera. Io lì ci ho già soggiornato e non ci tengo a tornarci. Adesso bisogna trovare una soluzione sensata. Riguardo alla lettera, niente ci impedisce di fare lo stesso lavoro di quando siamo arrivati, tanto il bastardo in casa nostra non ci entra».

Prima di parlare, Paolo si toccò le lunghe trecce nere e giunto al fondo si risistemò gli elastici che le chiudevano.

«Secondo voi perché vuole che gli si paghi l'affitto in contanti? L'avete mai visto uno straccio di contratto? Quando siete arrivati, vi ha fatto firmare una carta? A noi no».

Franci confermò con un lieve movimento della testa.

«È vero che noi siamo arrivati per ultimi, ma non credo che si sia comportato diversamente con voi. Ha poco da scrivere lettere... quello è fuori legge e, se solo lo volessimo, potremmo fargli passare qualche guaio».

«No! La legge la si lascia dov'è. Se risultiamo inesistenti, tanto meglio» obiettò Ben «Per creare problemi al *trucido* ci toccherebbe avere a che fare con gente che preferisco evitare...»

«E allora non ti lamentare perché non sei in albergo» concluse Irina.

«Io mi lamento finché ne ho voglia... non è giusto che lui abbia deciso di fare dei lavori senza un minimo di preavviso; non è giusto che ci faccia passare da un alloggio a una merdosissima soffitta senza cesso; non è giusto che si diverta a creare barriere architettoniche in casa di un anziano su una sedia a rotelle; non è giusto che venga a criticare il nostro modo di vivere, che si lamenti dei gatti, delle pulci, della puzza e delle erbacce in giardino. Chi si comporta così dev'essere punito... ma non dalla legge. Per questa casa, la giustizia è un optional troppo costoso e quindi ci tocca arrangiarci da noi. È anche più divertente... basta solo decidere come».

«Brava!» Commentò con entusiasmo l'interfono.

Il dopocena rivelò a Mosas alcuni interessanti effetti della ristrutturazione. Il primo indizio era nascosto nel lavandino: una volta tolto il tappo, l'acqua delle stoviglie veniva automaticamente riciclata per lavare i pavimenti. L'effetto cascata colse in pieno i piedi impreparati della donna che cercò di vincere la stanchezza mandando accidenti al padrone.

Il secondo evento straordinario era di natura elettrica: le prese erano di figura, tranne una che sparava una tale carica da illuminare tutta New York e fluidificare un battaglione di phon.

Il giorno seguente Mosas interrogò gli autori dei capolavori, ma non ottenne risposte esaurienti. Gli idraulici si giustificarono con un sereno «i tubi ci sono tutti, qualcuno non è ancora stato collegato ma non ci sembra il caso di farne una tragedia».

Sui tempi di "collegamento" furono assai vaghi.

I due elettricisti, invece, non si capacitarono dell'accaduto ed, evidentemente per riprendersi dallo choc, sparirono per due giorni e in quelli successivi finsero di non esserci.

VII

*Dopo il suo sangue, la cosa migliore
che un uomo può dare di sé è una lacrima.*
JIM MORRISON

Il trasloco di Carlo Alberto e Mosas ebbe luogo in concomitanza con la disinfestazione. Quindi il trasporto della mobilia si svolse, nello spazio di un pianerottolo, calpestando centinaia di piccoli cadaveri neri. Lo scempio era tale che dapprima il Signor Giò rischiò numerose distorsioni saltellando con il carico di scatoloni, poi s'impegnò nella raccolta delle spoglie che vennero solennemente tumulate accanto al ciliegio.

Intanto Mosas si trovava ad affrontare una situazione delicata con Carlo Alberto, ufficialmente il suo datore di lavoro.

Non era facile, in quel trambusto, renderlo inaccessibile agli occhi dei vicini. Ma nulla da fare, lui su quel punto era irremovibile al pari delle sue gambe. Così, alla donnona nera come la notte toccava inseguire gli spostamenti della sedia a rotelle con un paravento messo insieme dall'urgenza.

Fiaccata più dall'inseguimento che dallo spostamento di mobili e ninnoli, la tata si ritrovò ad alzare la voce con il suo assistito.

«Adesso è tempo che la smetta con i capricci, perché io non ce la faccio più. Non posso badare alla casa, alla sua malattia fisica e anche a quella mentale... Se non vuole che la vedano, ha solo da infilare la testa nel cesso».

Era la prima volta che Mosas si lamentava ed era la prima volta che si rivolgeva a Carlo Alberto con quel tono tanto severo e irrispettoso. Se ne stupì più lei del suo interlocutore. Perché l'uomo comprendeva meglio di quanto lei stessa sapesse fare. Lui la capiva e, in fondo, attendeva da tempo quel legittimo sfogo; sapeva che una scintilla sarebbe scoccata per dare vita a un incendio purificatore.

Era tempo che Mosas prendesse la sua strada che forse l'avrebbe riportata in Africa o semplicemente lontana da un vecchio malato, depresso e volubile... quella non era vita, era schiavitù, anche se in chiave moderna.

Questo pensava Carlo Alberto guardando quegli occhi il cui nero, al momento, sembrava distorto da una lente troppo concava: erano lacrime trattenute al limite dello sforzo. Mosas piangeva con una disperazione che non aveva mai provato, e dire che di cose brutte ne aveva viste a bizzeffe durante la sua vita, ma questa volta...

Lei s'interrogava circa il dolore lacerante che provava e si dava risposte che la turbavano e intenerivano confondendole le idee. E forse per mettere ordine alle cateratte del sentimento, si ritrovò a pensare ad alta voce, come a delegare a Carlo Alberto l'analisi delle sue emozioni.

«Io la amo, come un figlio, come un fratello, come un marito... perché lei è l'uomo migliore che io abbia conosciuto. Ma non posso più reggere questo amore da sola. Mi capisce?»

«Come se parlasse africano» mentì Carlo Alberto.

«Ho bisogno di dividere il mio amore per lei con qualcun altro. A me non pesa la fatica, le mie spalle reggono tonnellate, ma il mio cuore è stanco e ha bisogno di aiuto. Lei non può continuare a concedersi solo a me. È crudele. Io voglio che lei si lasci amare anche da altri».

Carlo Alberto azzardò un sorriso privo di convinzione.

«Mi sta forse suggerendo di farmi un'amante? Non è che non ci abbia mai pensato ma, perdoni la volgarità, non mi riesce di alzare nemmeno un alluce... figuriamoci il resto».

«Dannato testone! Perché non ammette che questo discorso non la lascia indifferente? Perché non ammette di capire quello che sto dicendo? Perché non dice la verità? Io non ci credo alla storia che si vergogna a mostrarsi in pubblico. Forse per un po' è stato così, ma adesso è una scusa idiota. Lei si nasconde per non fare entrare gli altri nella sua vita... soprattutto Ben. Lo so che lei vuole bene a quella ragazza, e chi non potrebbe? Ma piuttosto di ammetterlo, si butterebbe giù dalle scale con la sedia. Lei lo sa che Ben non baderebbe al suo aspetto, non s'impressionerebbe davanti alla malattia, eppure...»

«Ha finito di psicanalizzarmi?» la voce di Carlo Alberto tradiva irritazione «Oggi sembra posseduta dallo spirito di un Freud da romanzo rosa. Io non ho bisogno d'affetto, non sono un cane perso in autostrada».

«Già, è vero. Le sue figlie hanno preferito sperderla in un ospizio».

Detto ciò, Mosas si girò di scatto e uscendo dalla camera pose fine alla conversazione.

Solo qualche ora dopo fu raggiunta dal vecchio che, senza perdere tempo in preamboli, lanciò un unico paragrafo, tutto d'un fiato:

«Anche io la amo, stupida negra sentimentale, e da domani non dovrà più seguirmi con quel ridicolo paravento... tornerò al buon vecchio lenzuolo, quando ce ne sarà bisogno».

«Ah beh, contento lei. Per me può cacciarselo addosso tutto il giorno il suo lenzuolo. Così evito anche di spolverarla» disse Mosas senza girarsi verso il suo interlocutore.

Guardava fuori dalla finestra e solo un raggio di sole incontrò il suo sorriso.

VIII

Il signor Carlo Alberto da quasi vent'anni soffriva di una patologia devastante, invalidante e terribile. A tanti aggettivi corrispondeva la totale mancanza di cure.

Per un certo periodo le sue due figlie si erano prodigate nell'assisterlo, almeno fino a quando non era necessario. Ma appena la malattia iniziò a esprimersi al meglio delle sue potenzialità e il genitore si dimostrò inadeguato a compiere elementari azioni quotidiane, non ci furono dubbi né tentennamenti.

«Non è più lui, è come se papà fosse morto, il corpo è il suo ma lui... non è più lui, non possiamo rinunciare alla nostra vita, è capace di tirare avanti ancora per anni, come possiamo prenderci un simile carico... i figli, il marito, le vacanze... una presenza deprimente... vederlo ridotto così!»

Quante volte Carlo Albero aveva sentito parlare tra loro le due donne, convinte che oltre che malato, lui fosse anche sordo o, peggio ancora, totalmente demente.

Ma che ne sapevano loro della depressione? Quelle due, per puro comfort morale, si ostinavano a negare una scomoda verità: il corpo, solo quello, non era più il suo, la mente lavorava a pieni neuroni, forse meglio di prima.

Comunque, presto, corpo e mente furono trasferiti in un "posticino dignitoso, veramente confortevole, con parco e aria buona, ottima cucina e stanze pulite". Praticamente un albergo con più di una stella e infermiere carine, disposte a sorvolare sulle erezioni da bidet. Tutto sommato lui non ci si trovava male, però desiderava una casa tutta sua, con mobilio personalizzato e una porta che servisse allo scopo: chiudere fuori il mondo con doppia mandata.

Un giorno, uno di quelli in cui ci si sveglia di pessimo umore (e nel corso della giornata peggiora), gli apparve il suo grande angelo nero... Mosas. Un viso bellissimo intagliato nell'ebano, con uno strato d'adipe idealmente capace di trasformarsi in culla dove fare esclusivamente sogni a colori.

Lei, nell'ospizio – che era vietato chiamare così – lavorava in cucina e non la si vedeva mai. Per la direzione risultava sconveniente mostrare una dipendente di colore, poteva togliere qualche stella all'impeccabile retta da usura del luogo: un posto caro deve, agli occhi degli altri, strapagare i dipendenti per renderli amabili con i clienti e non è credibile che una *negra* meriti un buono stipendio.

Un giorno Mosas si azzardò ad alzare la voce con un importante finanziatore dal culo anemico e il "davanti" pieno di pretese. Gli ospiti paganti la sentirono e, allungando un po' i colli rugosi, riuscirono a vederla. A tutti quei vecchietti non importava un accidente di avere una cuoca innegabilmente africana... ma, più di cento paralitici, conta un sedicente filantropo colmo di soldi e di discutibili bollori.

Così, la *negra* uscì non solo dalla cucina, ma anche dall'intero stabile.

Con una valigia in finto coccodrillo e un camaleonte in vera pelle era all'aria aperta, diretta verso il grande cancello bianco, risoluta ad andare da qualche parte, non importava dove.

Il parco era deserto, ad eccezione di un angolo vicino al grande olmo dove un uomo, dall'aspetto ancora piacente, cercava di centrare la propria bocca con una cannuccia per bibite. Mosas gli si avvicinò e diede prova di una mira invidiabile, almeno per il degente in questione. Se ne stava già andando quando l'uomo la fermò con la forza di due domande.

«Lei lavorava qui, vero? E se ne sta andando?»

La donna sorrise con una dolcezza che risultò stridere col timbro di voce che emerse dalle belle labbra carnose.

«Sì, sono stanca di fare la negra».

«Non vorrei essere fonte d'imbarazzo, ma temo che lei sia, senza ombra di dubbio, negra e resterà tale anche fuori di qui... Ha già un altro lavoro e una casa?»

«No, e ora credo che non sarà facile trovarli. Certo, non tutti sono eccezionali osservatori come lei... ma temo che il nero sia un colore difficile da portare senza essere notati».

«Insomma, una soluzione ci sarebbe, forse non troppo semplice... potrebbe andare ai colloqui di notte, in uno spazio aperto senza illuminazione... Oddio, per farsi vedere dovrà sorridere...»

«Carina questa! Ha altri consigli per me?»

L'uomo la fissò, cercando di misurare con gli occhi la profondità delle intenzioni suggerite dalla ragione. Soppesò la sincerità degli occhi neri, calcolò l'estensione del sorriso. Poi le guardò le mani: il palmo chiaro cozzava col colore del polso, ma al tempo stesso suggeriva un qualcosa di terrenamente divino.

Quella donna era un insieme di contrasti, eppure tutto sembrava armonioso, creato inseguendo la perfezione dell'imperfetto.

L'uomo percepì di amare la nera dal sorriso copioso. E la sensazione era piacevole, anche se sconveniente per un relitto. Così lui si sentiva: un relitto, inutile e imbarazzante, perché distorceva un panorama altrimenti aggraziato.

Eppure intuiva che, accanto a quella donna, in pochi avrebbero notato la presenza del relitto.

La bocca si mosse velocemente, come per rendere superflue le perplessità che avrebbero potuto germogliare da un ulteriore silenzio.

«La mia pensione si aggira sui due milioni al mese. Una cifra non male, vero? Trovi una casa per noi due e si abitui all'idea di farmi da gambe e braccia. Quello che resta oltre alle spese sarà suo. Io tengo poco spazio, di norma non provoco allergie e costo poco. Che ne dice?»

Mosas lo guardò con tutto lo stupore di cui era capace. Ma ribattè quasi subito.

«Dico che dobbiamo chiarire un punto, perché non amo le sorprese: mi sono fatta dodici anni di galera. Ho ucciso un uomo».

Mosas fece una breve pausa, per valutare reazioni che non giunsero...

«È ancora valida l'offerta?»

Carlo Alberto la fissò ancora negli occhi, come per riconfermarne l'autenticità .

«Quell'uomo meritava di morire?»

La risposta fu fulminea.

«Oh sì, di questo può starne certo».

Carlo Alberto allungò la sua scheletrica mano, che scomparve in quella della donna.

In capo a una settimana Mosas spinse Carlo Alberto fuori dal cancello bianco e insieme iniziarono una nuova vita in via delle Acque Basse numero 8. Gli effetti del cambiamento si potevano riassumere in tre semplici constatazioni: Carlo Alberto, per la prima volta nella sua vita, era felice; Mosas non sentiva più troppa nostalgia di casa; le figlie tolsero il saluto al padre e, dato che lui glielo aveva già tolto molto tempo prima, nessuno si accorse della differenza.

Quando arrivarono nella nuova residenza vi trovarono solo un altro alloggio occupato, quello del Signor Giò che li salutò con un cenno del capo e un batter d'ali (di Cristoforo), senza far caso all'aspetto dei due nuovi vicini: una nera enorme e una sedia a rotelle il cui occupante era interamente coperto da un lenzuolo che lasciava immaginare un corpo magrissimo.

La moglie, invece, li investì di domande e risposte a quesiti che nessuno aveva posto. Era agitata, li guardava con i pugni sui fianchi e il mento in alto, proponeva caffè e pasticcini e si lamentava di cani, gatti e pulci, intercalando il discorso con elaborate bestemmie. Mosas rimase impassibile, Carlo Alberto ringraziò l'idea del lenzuolo che gli permise anche di schiacciare un pisolino terapeutico.

Mentre Irina continuava a berciare, Mosas prese in braccio il "lenzuolato" e come freschi sposi varcarono la porta dell'alloggio al primo piano.

Con il tempo impararono ad affezionarsi agli strani figuri del pianterreno, soprattutto al Signor Giò che presto iniziò a fare alcuni lavoretti non richiesti ma non per questo meno apprezzati, destinati a facilitare la permanenza dell'uomo sulla sedia a rotelle. In un mese, le maniglie di porte e finestre erano state abbassate, i sanitari avevano tutt'altro aspetto, soprattutto la vasca da bagno che era diventata una doccia con speciali guide e mancorrenti. Il tutto senza parole, anche se Mosas giurava di aver sentito una specie di "hyk" quando l'uomo si era martellato un mignolo.

Pochi mesi dopo si erano stabiliti accanto a loro un uomo e una donna piuttosto silenziosi, forse con un passato da far dimenticare, pochi bagagli e amici che parevano ritrovarsi per scambiarsi consigli sulla manutenzione della barba.

Poi era arrivata Ben con il suo gatto nero, e l'africana del primo piano acquisì una figlia virtuale, «una ragazzina dal carattere difficile ma con il cuore d'oro», così ripeteva Mosas quando la descriveva a Carlo Alberto. Infine si erano aggiudicati buona musica, talvolta anche a richiesta, con i musicisti gay, uno tutto nervi, l'altro calmo come un bradipo sotto sedativi.

E tanti animali. Il più stano era il colombo, il più esotico quello che da anni seguiva gli spostamenti di Mosas, Pietro il camaleonte. E pulci. Generazioni di pulci.

Che casa! Un universo a parte dove le vite scorrevano indipendenti ma, volendo, potevano unirsi per superare periodi critici o condividere momenti belli.

Solo una casa, fatta di cemento e mattoni a buon mercato, dove Mosas aveva ricominciato a vivere senza rimpianti e con un'accettabile malinconia, come se tutto quello che aveva raccolto nel tempo, compresi i ricordi, si fosse perso nella nebbia della zona. La sua famiglia d'origine, sterminata dalla fatica e dalle malattie, apparteneva a un'altra vita, lontana millenni, ormai perpetuata solo da un vago sapore karmico: c'era stata, ma forse in un'incarnazione precedente. E forse solo Carlo

Alberto riusciva a scorgerne una flebile traccia nello sguardo, nei rari momenti di tristezza del suo angelo nero.

I vari aiutanti si sbrigarono a trasportare la roba che i due avevano raccolto nelle loro due camere e cucina. I mobili erano pochi, bassi, dal sapore etnico, come i numerosi tendaggi che già da soli avevano la capacità di riportare i colori dell'Africa. Mosas era indubbiamente la più forzuta, tra tutti gli improvvisati facchini, e quando gli altri si richiusero nelle rispettive abitazioni, Carlo Alberto si avventurò, per la prima volta dopo il suo arrivo e non senza un senso di panico, sul pianerottolo e fece l'ingresso nella nuova e provvisoria sistemazione.

La sua prima notte gli apparve di insostenibile lunghezza e la mente cercava di sopperire quella dilatazione temporale con svariati pensieri, fino a quando una decina di discreti bip-bip non lo riportarono alla realtà. Era l'interfono, che richiedeva con insistenza la sua presenza.

«Che succede?» chiese con voce falsamente assonnata.

«Stava dormendo?» si preoccupò Ben.

«Quasi... pensavo».

«Le va se leggo una storia? Ne ho scaricata una interessante: parla di un ragazzino che riesce a comunicare soltanto con gli alberi».

«Andrebbe bene per il Signor Giò e comunque, no. Con questo aggeggio» disse fissando l'interfono «non mi piace... tanto vale ascoltare la radio».

«Se vuole scendo nell'alloggio vuoto e mi sistemo vicino alla parete».

«Non mi trovo nella camera attigua... Mosas mi ha sistemato dall'altra parte, dice che così i lavori mi daranno meno

fastidio. Ma tanto, quegli imbecilli fanno un dannato baccano che li sentono pure i parenti dei Cloni in Cina».

Ben era delusa. Aveva bisogno di parlare con qualcuno...
non che si sentisse sola: questo non se lo sarebbe mai con-
cesso.

«Senta, le va se parliamo due minuti?»

«Sì cara, non riesce a dormire?»

«Se per questo non ci sono mai riuscita. Ora ho necessità
di sapere una cosa... lei ci crede in Dio?»

«Certo!»

«Non ha qualche dubbio? Insomma, magari ogni tanto».

«No!»

Ben rimase un po' in silenzio, dubbiosa.

«E quindi pensa che lassù ci sia un tale che ci guarda, che
vede tutto, eccetera?»

«Quelli sono i satelliti spia, cara...»

«Io non riesco a crederci. Non ai satelliti, intendo dire a
Dio».

«È solo un'impressione... in realtà ci credono tutti, perché
per ognuno c'è un dio su misura».

«Interessante! Il suo com'è?»

«Vede, io immagino che Dio sia la mia coscienza. A seconda degli atti che ho commesso, mi fa vivere all'inferno o in
paradiso. Si ricordi, la vita è una sola e nel tempo a nostra
disposizione paghiamo per i nostri errori... ma sono, come
dire, panni che si lavano in casa. Purtroppo i peccati più diffi-
cili da espiare sono quelli commessi verso sé stessi. Quelli
rivolti ad altri, per la maggior parte delle volte, sono dovuti».

Ben elaborò con estrema velocità i dati appena acquisiti
ma continuava ad avvertire il peso di alcune perplessità.

«Io non credo che esista una roba chiamata coscienza».

Carlo Alberto sorrise.

«Questo le potrebbe tornare utile nella vita e soprattutto lasciarle un bel po' di tempo libero. Ma attenta a non confondere ciò che lei è con quello che vorrebbe essere».

Ben glissò abilmente l'ultima affermazione, controbattendo con una domanda.

«Mosas ci crede in Dio?»

«Temo che quella povera donna non abbia tempo per queste cose...»

«Già. Grazie e buona notte».

«'Notte».

Fine della comunicazione.

L'alloggio in cui gli operai si rimisero al lavoro doveva avere caratteristiche strutturali anomale: i muri impenetrabili, le piastrelle saldate al pavimento con la fiamma ossidrica, i tubi introvabili... perché il rumore raggiunse vette tanto singolari da far risultare obsoleto il termine decibel, ormai si era arrivati agli *abnormibel*.

Intanto, di pari passo con la pazienza, nei vari alloggi stava sparendo di tutto e presto fu evidente che i più ladri erano i muratori, proprio quelli che ridevano sempre: rubavano in allegria. Per un momento si delineò la terrificante prospettiva di dover chiudere a chiave ogni uscio, contravvenendo a una delle regole base del condominio. Ma presto si trovò una soluzione alternativa, combattere il crimine con il crimine... una sorta di cura omeopatica.

L'incarico fu affidato a un professionista della zona, un ladro con un curriculum invidiabile in cui spiccava anche un brillante passato da prestigiatore. L'uomo era noto con il nome d'arte di Ufo, nel senso che potevi anche vederlo ma nessuno ci credeva. Le sue splendide mani con dita affusolate erano più veloci di un battito di ciglia, più leggere del fumo di una sigaretta. C'era chi diceva che, se avesse voluto, poteva toglierti le lenti a contatto mentre gli davi le spalle, lasciandoti solo l'impressione di aver smarrito, chissà come, qualche diottria. Tant'è che nel giro di una settimana ai muratori erano spariti portafogli, catenine, fedi nuziali e anche un piercing al labbro. E tutti erano convinti di esserseli tolti da soli per posarli da qualche parte che non ricordavano dove fosse. Certo notarono la bizzarra coincidenza tra i loro piccoli furti e le misteriose sparizioni, ma se Ufo gli si fosse volutamente materializzato davanti avrebbero giurato di non averlo mai visto prima.

Così le ladrerie finirono, almeno quelle perpetrate dagli esseri armati di cemento e cazzuola.

In compenso iniziò la stagione dei temporali e, anche se era stata momentaneamente chiusa la finestra sul cielo, in soffitta sembrava di stare su una zattera finita più volte contro gli scogli.

Per un verso, le copiose infiltrazioni permisero a Ben di sopperire alla necessità di recarsi dai vicini per farsi una doccia, ma la ragazza era molto preoccupata per i computer che, al pari di un grave malato di reumatismi, non potevano sopportare tutta quell'umidità.

Il Signor Giò costruì una struttura – una sorta di gazebo coperto, in polistirolo e tela cerata – ma anche lui nutriva delle serie perplessità sull'efficacia. Si astenne, comunque, dall'esternarle.

Nel frattempo il padrone si faceva vedere con cadenza quotidiana, benché la presenza nella casa non gli giovasse alla salute. Era sempre più nervoso e insofferente, sentiva l'ostilità dei suoi inquilini in luogo di quella gratitudine che reputava dovuta. Non sopportava la sporcizia che regnava in cortile, il giardino pieno di erbacce e la puzza che sembrava impregnargli gli abiti, il tanfo di pipì di gatto, nauseante, perenne, onnipresente. E soprattutto odiava Pedro, il felino rosso dagli occhi umani. Occhi che lo fissavano con calma imbarazzante, che sembravano leggergli dentro per il gusto di giudicare i suoi errori, che gli dicevano «tanto appena ti volti t'imbratto l'auto». Lo avrebbe ucciso volentieri.

Quando stizzito fermò Mosas sulle scale e le chiese come potessero vivere con quella puzza, lei lo irritò ulteriormente rispondendo: «Si tiene il respiro... qui si sta in apnea».

Quando poi i muratori lo informarono degli oggetti che erano spariti, lui non trattenne un urlo rabbioso: «Anche ladri!»

A casa, quella sera, aggiornò la moglie con le ultime notizie.

«Finalmente ho capito perché a quanto pare nessuno lavora... semplice: rubano. A uno dei muratori hanno portato via anche una medaglietta di sant'Antonio... pure senza Dio, quei bastardi. Poi, dovresti vedere la negra, che insolenza! Cammina tutta impettita come se fosse la padrona del mondo, con quel sedere in fuori; e fino a ieri stava con il gonnellino di paglia e l'osso al naso a mangiare mosche... quando aveva la fortuna di prenderne una. Sai come dev'essere andata? Quella gli ha fatto un "servizio" al paralitico, non so se capisci. Sono tutte uguali, vengono qua scalze, si beccano un disgraziato che le sistemi... tutte puttane. Poi quel capanno in giardino, c'è un viavai, ci ho visto entrare il tizio con l'uccellaccio sulla spalla, la negra tre o quattro volte, e tutti gli altri. Gli operai dicono che ci vanno con dei secchi e si sentono rumori strani. Nessuno ha ancora trovato il coraggio di andare a vedere cosa c'è là dentro e, credimi, ho paura anch'io. Gli elettricisti pensano che stiano coltivando le canne... sì, insomma quella roba che si fuma. E, in effetti, si spiegherebbe per- ché sono tutti così strani. Da quando mi hanno detto delle canne li ho osservati meglio, sembrano proprio drogati... soprattutto quella coi capelli gialli. Persino le bestie le droga- no, secondo me: i gatti camminano storti e quando dormono li puoi pestare che non aprono gli occhi. Per me, possono fumarsi anche il ciliegio, per quello che m'interessa... ma pensa se scoprono una piantagione di droga nella mia casa... magari spacciano pure... e chi finisce in galera? Io, natural- mente! Domani parlo con l'avvocato perché la faccenda non mi piace. Ho un'acidità di stomaco che posso accendermi la sigaretta con un rutto... mi trattano come una merda. Pensa che quando mi sono lamentato per la puzza di piscio, la negra mi ha detto che lei non la sente... per forza, si è fatta il naso con il suo di odore, quella non si accorgerebbe nemmeno di una fuga di gas. Devo trovare una soluzione per i gatti... Oltretutto comincia a fare freddo e quei bastardi evidente- mente mi pisciano dentro il cofano dell'auto. Appena si scalda il motore, l'abitacolo diventa una fogna e io devo viaggiare con i finestrini aperti. Se continua così mi prenderò una pol- monite, se prima non mi si perfora l'ulcera. È che non posso nemmeno chiamare l'ufficio d'igiene, quelli mi mandano in galera. Comunque, prima risolvo la questione capanno e poi penso a quei luridoni... che Dio li fulmini a tutti quanti!»

La moglie lo guardò con evidente noia.

«Te l'ho detto, se lasci fare a me, in capo a una settimana quella casa diventa un collegio svizzero. Tu non ci sai fare. L'acidità di stomaco devi farla venire a loro. Il padrone sei tu... è che non hai le palle, del resto non le hai mai avute».

Lui si avventò su una bistecca al sangue, perdendosi ogni allusione a carico dei suoi attributi.

IX

Quando un avvocato muore, i vermi gli girano alla larga:
hanno paura del grande capo.
BLACK LINK

L'avvocato del geometra Travi non era quello che si può definire un "principe del foro". Anzi, pareva che un foro ce l'avesse in testa, da quanto gli risultava difficile generare un pensiero degno di questo nome. Dalla sua aveva delle parcelle talmente ridicole che veniva da pagarlo con la valuta del Monopoli, e su questo fronte il geometra era esigente. «Il professionista caro è sopravvalutato», soleva dire, senza che altri avessero il bene di capirne il recondito significato.

Quindi, il suo avvocato si sarebbe potuto egregiamente confondere con la schiera di operai decisamente non sopravvalutati che invadevano via delle Acque Basse numero 8.

L'azzeccagarbugli, davanti alla storia della presunta piantagione di marijuana, rimase perplesso e, a onor del vero, anche qualche neurone in più non sarebbe bastato a chiarirgli la vicenda riportata in forma concitata e confusa dal suo cliente. A preoccuparlo non era tanto la droga, quanto l'accozzaglia di presunti criminali che infestavano la casa, ma andando per punti emise un unico parere: toccava andare a verificare cosa contenesse il capannone... peraltro, visti i curricula degli inquilini, non era da escludere la presenza di materiale ben più pericoloso, ai fini legali, di qualche pianta di cannabis.

«Cosa?» Chiese il geometra in ipersudorazione.

«Ad esempio: armi o clandestini. Se quei signori dalla dubbia moralità affittassero il capannone a extracomunitari penetrati illegalmente nei confini dello Stato, la faccenda sarebbe grave. Come potremmo dimostrare la sua estraneità? Un'indagine in questo senso avrebbe effetti catastrofici».

Il padrone di casa era pallido come un lenzuolo anemico. In un momento tutto fu chiaro: i rumori, i soldi guadagnati senza lavoro, l'ostilità verso gli estranei, l'opporsi alle "opere" di ristrutturazione, soprattutto a quelle riguardanti il giardino.

«Cacchio! Torna tutto. Bravo avvocato. Adesso cosa mi consiglia di fare?»

«Senza dubbio, è necessario appurare la veridicità delle nostre argomentazioni... quindi s'impone un sopralluogo che le consiglierei di effettuare durante le ore notturne».

«Chi? Io?» esplose il terrorizzato geometra «ma non se ne parla. Rischio di prendermi una coltellata...»

«Non c'è altra soluzione, a meno che lei abbia una persona di fiducia che intenda svolgere in sua vece tale compito».

«No, no. La gente di fiducia costa. Ma c'è pericolo... e se entro e mi trovo una ventina di negracci armati?»

«Non sarebbe nel loro interesse provocare un incidente... sa, quella gente non vuole noie, al massimo sbaraccano nel giro di cinque minuti».

«Ne parlerò con mia moglie» concluse il Travi.

La moglie, informata della conversazione con l'avvocato, iniziò a viaggiare di fantasia. Un'immagine le rapì la mente:

il marito rigidamente steso in una pozza di sangue, attorniato da fotografi e polizia, mentre gli inquilini venivano accompagnati senza troppe cortesie sui cellulari. Si chiedeva quale perverso meccanismo le suggerisse un quadro tanto raccapricciante, e quanto la fortuna potesse aiutarla a renderlo reale.

La Signora Travi non odiava il marito, anzi le era discretamente grata per averla sottratta a una vita fatta di stenti e brutture, semplicemente non sopportava l'idea di dover condividere un'altra fetta di vita con un cretino.

Non che ai tempi delle nozze, venticinque anni prima, lui le fosse apparso diverso, questo lo ammetteva. Il consorte non era di quegli uomini che cambiano con il tempo: cretino era e cretino restava, solo che lei, allora, non aveva alternative e qualsiasi cosa è meno sgradevole della povertà. Ora si prospettavano delle interessanti alternative, la prima era una vita in meravigliosa solitudine con il conforto di un eccellente conto in banca da spendere a piacere. Viaggi, pellicce, magari un amante giovane e capace, gioielli, auto sfacciatamente care, abiti esclusivi...

«Devi farlo! Non possiamo lasciarci sfuggire questa occasione».

«Quale occasione?» chiese il marito un po' preoccupato per l'espressione folle dipinta sul rubicondo viso della donna.

Lei rimase come paralizzata, alla ricerca di "un'occasione" da palesare che al momento le sfuggiva. Prese tempo andando in cucina per chiudere un gas che non era stato aperto.

«Intendo dire» si riprese «che forse potremmo trovare il modo di mandare via quelle sanguisughe ingrate».

«È vero, ma dove li troviamo altri inquilini come quelli... insomma, pur con tutti i difetti, non hanno mai creato grossi problemi. Pagano regolarmente, non fanno domande, non hanno mai chiesto di vedere un regolare contratto...»

«Ah, al solito, abbiamo già cambiato idea... Fino a ieri erano dei bastardi criminali e oggi non se ne può più fare a meno. Non chiedono un contratto? Tante grazie, sicuramente non hanno mai visto nemmeno un regolare documento d'identità. Stanno zitti e buoni perché non vogliono storie... Li conosco i tipi come quelli, se vedono un poliziotto gli prende un colpo. Tu sei troppo ingenuo... e tutti ti fregano. I morti di fame sono pericolosi, le condizioni in cui vivono li porta a lavorare d'astuzia e a fregare gli onesti».

«Hai ragione, come sempre».

X

La porta meglio chiusa, è quella che si può lasciare aperta.

PROVERBIO CINESE

Con grande sollievo di tutti, anche il secondo alloggio fu terminato.

Finalmente Mosas, il Signor Carlo Alberto e Ben potevano riportare mobilia ed effetti personali da dove erano partiti. A dire il vero, più che un potere era un dovere.

La logica avrebbe suggerito di procedere effettuando prima le opere di imbiancatura e poi il trasloco, ma il tempo stringeva anche se non lo si sarebbe detto guardando la flemma degli operai.

Così, accatastati i mobili al centro delle camere, si procedette a dare il bianco. In questa fase, un grosso aiuto arrivò dai Cloni che dalle due alle quattro di notte giungevano con cibo preparato nei loro ristoranti e, accessoriati di rulli e pennelli, si davano un gran da fare. Tutti erano meravigliati dalla resistenza alla stanchezza di quegli asiatici che spennellavano al ritmo della musica del loro paese, tanto per lavorare con la tristezza nel cuore.

Anche il Vecchio Roncola partecipava – in qualità di supporto morale – all'alacre attività e in segno di solidarietà con quel popolo cercava di canticchiare le canzoni cinesi e di dimostrare anche lui un briciolo di malinconia. Il risultato (uno straziante miagolio nasale) faceva l'effetto di uno stupro ai padiglioni auricolari, ma quel suo viso triste, la buona volontà e il ripetere a intervalli pressoché regolari «grande uomo quel Mao», ispiravano tenerezza a tutti... persino ai Cloni che, sotto sotto, riguardo a Mao non avevano pensieri poi così edificanti.

Il Signor Giò teneva d'occhio colombo, gatti, cane e camaleonte. Pur con un certo scetticismo era allarmato dalle numerose teorie circolanti su cosa e chi finisca nelle pentole dei ristoranti cinesi. I Cloni avvertivano quella leggera ostilità ma si limitavano a sorridere, mantenendo inalterata la stima per quell'uomo il cui silenzio ne faceva una sorta di saggio.

L'ultima notte, alla conclusione dei lavori, il Clone più anziano, un ometto basso, rinsecchito e con una barbetta da capra tibetana, invitò i presenti a sedersi a terra. A ognuno consegnò un bastoncino di incenso al sandalo e, armato di tamburello *antispiritimaligni* iniziò a girare per le camere. Carlo Alberto si calò addosso il solito lenzuolo, chiedendosi come fosse finito in un quadro surreale e animato. Mosas appurò che, come si dice in Italia, "tutto il mondo è paese". Ben si divertì un sacco e scoprì che tanto incenso, acceso in una sola volta, provoca un effetto simile a quello di una buona canna.

Il Vecchio Roncola, forse per effetto dell'incenso, si esibì in una danza pellerossa e dopo un quarto d'ora iniziò a piovere. Il Signor Giò se ne andò perché Cristoforo pareva spaventato dal suono del tamburello, cosa che instillò qualche dubbio superstizioso nei cinesi.

Tante incredibili novità animarono i primi giorni di vita domestica delle tre persone rientrate nei loro appartamenti. Ben, oltre ai tubi non collegati e alle prese fantasma, scoprì che le finestre non chiudevano: «colpa dell'umidità», si giustificavano i virtuosi della cartavetro. Mosas, alquanto sorpresa, partecipò a una dimostrazione dal vivo del principio dei vasi comunicanti: ogni volta che usava il water, un liquame di natura inconfondibile spuntava nella vasca da bagno. Servirsi del bagno era diventato quasi impossibile ma con un pizzico di spirito imprenditoriale ci si poteva allestire un laboratorio di fisica.

Ben ci mise un po' di tempo a sistemare tutto, soprattutto la fontana che, provata dagli spostamenti, cominciava a manifestare evidenti perdite... così come il soffitto fresco di tempera ma vittima dell'antico buco sul tetto. Inoltre, il nuovo impianto elettrico era un disastro e lei non aveva tempo di metterci le mani, impegnata com'era a lavorare ai suoi computer e alla singolare spada laser che, a suo dire, avrebbe migliorato il mondo.

Mefisto, inquieto per l'assenza di odori famigliari, era innervosito dalla sua vescica che non reggeva il ritmo nevrotico dell'attività di ripristino.

Carlo Alberto era un po' depresso e si sentiva più in basso che mai. Senza Mosas non poteva aprire una finestra e, in questo senso, anche lei incontrava qualche difficoltà dovuta, come già detto, all'eccesso di umidità. Anche le porte interne gli risultavano inquietanti, soprattutto perché mancavano del tutto, compresa quella del bagno che a suo modo rivestiva un ruolo importante... c'erano gli estremi per un esposto al garante della privacy.

Con le prime piogge autunnali si riscontrò un altro fenomeno interessante il cui effetto consisteva nell'immediato allagamento degli interni. Le finestre, dopo le iniziali manifestazioni di rigonfiamento, presero a ritirarsi arrivando ad aprirsi da sole.

Se gli inquilini avessero avuto il tempo di studiare a fondo la questione, poteva scapparci un premio Nobel.

Tuttavia in quelle notti, quando le due abitazioni avevano ritrovato la vita di sempre, Ben e Carlo Alberto ripresero a unire le loro insonnie.

«... *"giocai il fiorino su manque (quella volta puntavo sempre su manque) e, a dire il vero, c'è qualcosa di speciale nella sensazione che provi quando sei solo in un paese straniero, lontano dalla patria, dagli amici e non sapendo se oggi riuscirai a mangiare, punti l'ultimo fiorino, proprio, proprio l'ultimo! Vinsi e venti minuti dopo uscii dal casinò con centosettanta fiorini in tasca. È un fatto! Ecco che cosa può significare a volte l'ultimo fiorino! E se invece mi fossi lasciato andare, se non avessi osato decidermi?... Domani, domani finirà tutto!"* ... grande vero?» chiese, infine Ben con entusiasmo.

«È lampante che l'autore ha scritto di un argomento che conosceva bene. Dostoevskij era un giocatore incallito».

Ben era irritata dal lapidario verdetto del vicino.

«Tutto qui? Certo che lei non si spreca in entusiasmo».

«Ma no, è un bel libro... è solo l'argomento a lasciarmi un po' freddino. Però, dalla passione profusa durante la lettura, direi che lei sia più interessata...»

«Al gioco, io? Vuole scherzare».

«Strano, avrei detto che con i suoi computer...» accennò Carlo Alberto seriamente stupito.

«Io col computer ci lavoro. Il gioco è per gente che è rimasta bambina. Io bambina non lo sono mai stata, quindi va da sé...»

Il vecchio sorrise forse di un sorriso un po' amaro, ma nel chiarore dell'alba che stava invadendo la sua stanza, si ritrovò a materializzare l'immagine di una Ben marmocchia già seriamente impegnata a pigiare sulla tastiera. Nessuno nella sua vita, nemmeno le figlie neonate, gli avevano donato una tenerezza maggiore.

Anche Ben, più tardi, stesa sulla sua branda si ritrovò a sorridere, mentre con mano esperta faceva roteare nell'aria una moneta che, ci scommetteva, avrebbe finito la sua corsa a testa in su.

XI

La gente m'interessa come il gel a un calvo.

BLACK LINK

La tabella di marcia non lasciava spazio all'improvvisazione: gli inquilini del numero 4 dovevano trasferirsi in soffitta.

I diretti interessati, Telemaco e Freeda, rappresentavano fisicamente il prototipo della coppia perfetta. Lei – non è una novità – aveva l'aspetto di un terrorista dell'Ira e benché nessuno da quelle parti ne avesse mai visto uno, veniva naturale riassumerla così. Lui, invece, sfoggiava un aspetto più nostrano; sempre da terrorista, certo, ma di quelli operanti nel territorio nazionale e, a sentirlo parlare, gli si dava il ruolo dell'ideologo non praticante. La parte del killer calzava meglio alla moglie.

La coppia si era conosciuta, e indelebilmente formata, negli anni dei figli dei fiori e per loro il tempo si era fermato lì. A distanza di più di vent'anni non indossavano abiti, bensì pezzi di modernariato: ancora gli stessi stinti jeans a zampa d'elefante, le camicie di tela indiana, gli zoccoli e le collane di perline variopinte.

I muri di casa, tinteggiati con colori vivaci, ospitavano manifesti *evergreen*. Così, chi entrava s'imbatteva già nell'ingresso in un fiero Ernesto Che Guevara che pareva dire "Sapete dove siete, regolatevi di conseguenza", e nel profilo di un capo Sioux che suggeriva un "augh" da mettere soggezione.

Telemaco era un uomo dall'umore variabile ma sempre tendente a bassa pressione, parlava poco e con pochi. Senza arroganza sentiva di stare a un altro livello, non necessariamente più alto, rispetto alla gente comune; pareva fosse il depositario di verità assolute non condivisibili con la mancanza d'acume dilagante. Forse ne sapeva quanto chiunque altro, cambiava solo la forma. Ma si sa, il più delle volte è la forma a fare la differenza.

Trascorreva le giornate a leggere libri dai titoli criptici, accarezzandosi la barba o il muso assonnato del gatto che portava nella maglia, il soriano Pierre.

Pierre e Telemaco si erano incontrati su un'autostrada francese. Telemaco la stava percorrendo con il suo camper sgangherato per andare in ferie, il gatto ci era arrivato certamente non per provvidenza divina. Pierre, allora, era un cucciolo ma le sue pur modeste dimensioni rischiarono di dar vita a una spontanea scultura postmoderna di lamiere contorte.

Invece, accadde che Telemaco e il gatto trascorsero una serena vacanza tra i campi di lavanda e i pittoreschi paesini della Provenza. Da allora Pierre si era stabilito nella maglia di Telemaco e forse si convinse d'essere un umano con tendenze marsupiali... "disforia interessante", avrebbe detto un veterinario con velleità psichiatriche.

Il gatto prediligeva i capi in lana con scollo a V, dai quali poteva osservare il mondo esterno senza peraltro farsi contaminare dal freddo che vi regnava. Non aveva un buon rapporto con gli altri suoi simili presenti nella casa, ad eccezione di Pedro, perché innegabilmente aveva qualcosa di umano. In effetti, il rosso girovago era un'anomalia della sua specie:

osservava tutto e tutti con un contegno da monaco buddista, ascoltava ogni conversazione e cambiava l'espressione del muso con sconcertante perizia. In ogni movimento delle palpebre, dei baffi, della coda si leggevano umori e sentimenti, disgusto, tristezza, approvazione e disappunto. Pedro era un gatto speciale, lo si notava a prima vista e a chi lo conosceva appena la sua silenziosa e spietata sincerità risultava imbarazzante.

Simile per colori era la moglie di Telemaco, Freeda. Nipote di un anarchico un po' bombarolo vissuto in Inghilterra, aveva ricevuto in dono dal nonno il singolare nome di Freedom che tutti si erano poi curati di abbreviare in Freeda.

La donna in passato era stata un'accesa contestatrice e nel suo piccolo continuava a protestare ma a voce più bassa, come fiaccata dall'incapacità altrui di ascoltare.

La sua carnagione lattea, la magrezza, gli occhi di colore porfireo e la chioma arancione contribuivano a darle un aspetto difficilmente ignorabile. Anche senza volerlo, un giudizio s'imponeva: strana, antipatica, innaturale, minacciosa, scomoda... un bel fardello, portarsi involontariamente dietro un'immagine bersaglio di aggettivi. Ma lei non mostrava di accorgersene e comunque il giudizio degli altri assumeva un significato trascurabile rispetto al disgusto che il mondo le procurava: se le avessero chiesto di salvare qualcuno dal diluvio universale, come arca le sarebbe bastata una gondola.

Certo la donna non esibiva un carattere incline alla benevolenza. Anzi. Una volta, tanto per citare un aneddoto probatorio, aveva ricevuto una strana telefonata anonima, nel cuore della notte. La sua interlocutrice piangeva senza ritegno, delirando circa la propria risolutezza a chiudere il capitolo vita. Freeda l'aveva ascoltata per tre minuti scarsi, poi, irritata dal noioso monologo, si risolse a offrire il personale contributo umanitario:

«Vuole essere salvata o questa telefonata è il suo ultimo messaggio al mondo? Perché in questo caso sarebbe preferibile che non bofonchiasse banalità tra un singhiozzo e l'altro. Si concentri, faccia l'ultimo sforzo della sua inutile vita, e spari una citazione memorabile, qualcosa che i posteri, sentendola, non possano fare a meno di dire "cazzo! Si sarà ammazzata in modo cretino, ma non era mica scema..." Se non ci riesce, la faccia finita e basta».

Ovviamente, nessuno seppe cosa accadde alla donna che, dopo la sparata della terrorista psicologa, non seppe far di meglio che mettere giù in tutta fretta la cornetta. Ma nei giorni seguenti nessun notiziario locale riferì di suicidi e quindi Freeda realizzò che la tipa sarebbe stata impegnata, per almeno un altro decennio, nella ricerca di una frase degna d'essere ricordata.

Ciononostante adorava il suo Telemaco e, a tratti, nutriva una timida simpatia per qualche altro inquilino della casa, ma senza impegno e, soprattutto, senza dare segni di entusiasmo.

Freeda e Telemaco, contrariamente a quanto le premesse potrebbero indicare, avevano degli amici, anch'essi intrappolati negli anni '60. Quando s'incontravano, chi li vedeva aveva l'impressione di essere finito chissà come nella macchina del tempo per approdare in un mondo che non conosceva un seguito alla musica di Bob Dylan e dei Rolling Stones, una conversazione dai contenuti estranei alla politica mondiale, una sigaretta di solo tabacco, una borsa più attuale del tascapane.

Quell'universo senza zainetti e rap era la vera casa, il vero affetto, dello strano nucleo che incidentalmente era approdato in via delle Acque Basse numero 8.

Il loro arrivo, infatti, era stato del tutto casuale... lì avevano finito la benzina e lì erano rimasti. Forse per rendere meno assurdo l'evento si potrebbe aggiungere che quel giorno pioveva a raffica, ma cambia poco.

Gli altri inquilini li videro insediarsi con pochi mobili, appena tre scatoloni e un'espressione da "lasciami stare". Solo Irina non aveva colto il silenzioso invito alla solitudine della coppia, ma d'altra parte era l'unica a non aver notato che il proprio marito non parlava. Telemaco e Freeda la ignorarono senza troppe formalità e continuarono a sistemare le poche cose maneggiandole come reliquie.

Presto impararono ad apprezzare il fiero carattere di Mosas e la stranezza del Signor Giò, ad accettare gli animali della casa, e alla fine si abituarono anche alla prolissità della slava del piano terra, che in fondo aveva un cuore grande.

Appena preso possesso dell'alloggio, anche se "possesso" per loro era un termine troppo forte, iniziarono a renderlo abitabile adeguandolo a un gusto del tutto particolare, cioè sfacciatamente stravagante. Intellettuali sinistrorsi o anarcoidi (era difficile stabilirlo senza un adeguato interrogatorio in stile cileno) – un piccolo ma efficace esercito – improvvisatisi imbianchini, si alternarono per tinteggiare le pareti. Ognuno scelse in massima libertà un colore a seconda della disposizione d'animo, delle attitudini e del piacere personale. E questo parve far pendere la bilancia dalla parte anarchica.

Le camere, a lavoro ultimato, erano di quattro colori, uno per parete, e il soffitto a spicchi. Entrando in quell'alloggio si aveva l'impressione di iniziare un viaggio sul treno Lsd. Ma obiettivamente non era male.

A Telemaco la sistemazione piaceva, a Freeda non dispiaceva. Lei avrebbe voluto viaggiare, muoversi di continuo, vedere cose, musei, gente diversa, trovare luoghi che promettessero qualcosa di confortante per il futuro. Lui era più stanziale, per farlo contento bastava una poltrona comoda, un libro quasi incomprensibile, un gatto scaldapancia e un luogo dove ognuno si facesse i fatti propri.

Nonostante le divergenti aspettative, trascorsero dei buoni anni in quella casa che sembrava marcare il confine tra la città e il fuori. Era piacevole vivere ai margini di una metropoli, pareva di stare sulla linea d'incertezza del campo d'azione del mondo. Se entrarci o meno competeva solo a se stessi.

Ora, invece, si trovavano in una fredda soffitta dove tutto quello che serviva non c'era. Certo, in un primo momento, la sensazione era di essere tornati ai tempi di una gloriosa e altera povertà, ma subito dopo veniva l'impulso di andare in bagno o di aprire il frigorifero senza doversi sdraiare a terra per farlo, e ci si sentiva un po' frustrati. Inoltre, il freddo cominciava a dare segni di inaccettabile prepotenza e persino Pierre aveva rinunciato a comparire dallo scollo del maglione.

Gli operai fecero la loro comparsa la seconda settimana di novembre dopo una lunga assenza forse giustificabile, considerando la vicinanza di feste imprescindibili quali Halloween, i santi e i morti. A questi ultimi si ispiravano sempre più, sia per vitalità intellettuale, sia per varietà espressiva.

Un'altra manciata di giorni la dedicarono a riprendersi dallo choc delle pareti psichedeliche e dall'inconfondibile fragranza simil salvia che, con gli anni, aveva impregnato l'alloggio numero 4.

Un giovane muratore, cercando di abbattere un quarto di muro, aveva persino accusato un malore e Freeda commentò la notizia con un «delle generazioni successive alla nostra, francamente se ne poteva fare a meno».

Nel frattempo gli elettricisti avevano abbandonato il campo, vinti dalla tensione nervosa provocata da cavi mancanti, materiali di presumibile origine aliena, ambiente ostile e cliente insolvente.

Il loro posto fu prontamente occupato da uno degli idraulici che non incontrò particolari difficoltà nel trasferire la propria incompetenza dai tubi ai fili elettrici.

Gli addetti agli infissi cominciarono a reputare superflua la fase di raschiamento e l'era della cartavetro terminò: schifezza per schifezza, tanto valeva dare due mani di biacca direttamente su quelle precedenti. Così le finestre crescevano a vista d'occhio e, di contro, diminuivano le già deboli probabilità di chiuderle. Ma questo non era un problema. Gli operai invitavano gli insoddisfatti inquilini ad andare di cartavetro... un ritorno alle origini.

I piastrellisti si accorsero che i pavimenti non erano in piano e vista l'assenza di mattonelle a duna, si lanciarono in quella che, a tutti gli effetti, poteva essere catalogata come una nuova forma d'arte: la posa a scalini asimmetrici e sbilenchi. A camminarci c'era da ammazzarsi però l'effetto visivo era interessante. I primi a compiacersene furono gli scarafaggi, ai quali risultò lampante l'apertura di nuovi orizzonti esplorativi.

I muratori continuavano a ridere come ebeti e a riferire ogni avvenimento al padrone di casa. Presi da una sorta di entusiasmo distruttivo picconavano a caso buttando giù pezzi di casa che dovevano restare al loro posto: i muri maestri erano comunque muri e, secondo una logica suggerita da un improbabile "Manuale delle pari opportunità edili", avevano il diritto di essere abbattuti come tutti gli altri.

Visto da fuori, l'edificio rivelava una forma inquietante e in molti giuravano che pendesse un po' a sinistra. Il lato buono della questione è che la pavimentazione sembrava assestarsi.

In una notte piovosa, tre eventi turbarono la casa. Con lo schema ludico del *go-down*, le tegole della soffitta si arresero alla forza di gravità. Telemaco si barricò completamente nel sacco a pelo in cui dormiva, assieme al soriano Peter che diede forfait alla pisciata di mezzanotte. Freeda lanciò delle bestemmie che, grazie alla mancanza del filtrante soffitto, arrivarono dritte ai destinatari.

Il geometra Bernardo Travi si avventurò, bardato da Diabolik obeso, nel capanno del giardino.

Ben e il signor Carlo Alberto si concessero un nuovo rendez-vous letterario.

«"... ma quel delitto l'avrebbe perseguitato per tutta la vita? Sempre oppresso dal passato? Avrebbe veramente dovuto confessare? Mai. Non restava che una sola piccola prova contro di lui. Il quadro: ecco la prova. L'avrebbe distrutto. Perché l'aveva conservato così a lungo? Una volta gli faceva piacere guardarlo mutare e invecchiare. Da qualche tempo non provava più questo piacere. Gli aveva tolto il sonno. Quando era stato lontano aveva tremato di paura che altri occhi potessero guardarlo. Aveva aggiunto una malinconia alle sue passioni. Era per lui come la sua coscienza. Sì, era ormai come una coscienza. L'avrebbe distrutta..."»

«Eh sì, il vecchio buon Wilde era proprio una buona penna» disse soddisfatto Carlo Alberto a fine lettura.

«Finalmente non si lamenta. Allora se le va le leggo anche *Il fantasma di Canterville*...»

«No, sono già le cinque del mattino».

«Ma io non ho sonno» reagì Ben.

«Allora parliamo un po'. È passata la crisi mistica dell'altra volta?» chiese Carlo Alberto con evidente interesse.

«No, è che sto cercando una cosa ma non so dove trovarla... Insomma, vorrei qualcuno che mi ami. Forse è difficile da spiegare. Non sto parlando di un innamorato... capisce cosa voglio dire?»

«Ho capito perfettamente, cara. Lei è veramente convinta, voglio dire nel profondo, che nessuno la ami?»

Ben non perse troppo tempo a pensarci su.

«Beh, c'è Mefisto... ma credo sia per via dell'occhio. Sa, lui è guercio, forse in quella maniera mi vede solo a metà... intendo dire, la parte buona».

Carlo Alberto rimase in silenzio. Avrebbe potuto controbattere a quelle affermazioni che peccavano di infantile ingenuità, ma un improvviso senso di tristezza lo aveva abbattuto. Fino ad allora aveva considerato Ben come un essere congenitamente indipendente, senza espliciti bisogni di natura affettiva. E quella inattesa rivelazione gli fornì lo spunto per stupirsi e amareggiarsi della propria leggerezza.

Cosa poteva dire? Di andare a ritrovare genitori che non si erano mai occupati di lei? Di guardare al di là di un gatto e cercare l'amore nel mondo? Ma nel mondo, c'era effettivamente amore? Poteva confessarle che Mosas la amava come una figlia? No, non sarebbe servito... l'amore deve essere sentito, non detto.

La voce dall'altra parte era scomparsa, ma lui coglieva il suono dell'attesa. Ed era un ritmo doloroso, scandito dall'immobilità esteriore e dall'inquietudine interiore.

Conscio della propria incapacità a rispondere, finì col porle una domanda: «La metà cattiva... cosa ha fatto di così terribile per guadagnarsi addirittura uno spazio tutto suo?»

Ben non aveva le idee chiare in merito, ma di una cosa era convinta.

«Se in me non fosse tanto evidente il lato malvagio, qualcuno mi amerebbe. Invece sono sempre stata sola. Non che la cosa mi dia fastidio, però mi fa pensare».

«Cara ragazza, con il tempo imparerà che il sentimento più comune tra gli uomini è il disinteresse. Non siamo soli perché poco degni di far parte del mondo, semplicemente il mondo non s'interessa a noi. E comunque, per quanto possa servire, io le voglio bene».

Dicendo ciò, Carlo Alberto si sentì arrossire e, qualche secondo dopo, si vergognò più del rossore che di ciò che aveva affermato.

«Mi fa piacere» concluse Ben «ma avrei preferito un abbraccio... buona notte».

Carlo Alberto non aveva più le forze richieste da un abbraccio e mai come in quella notte la cosa gli parve di un peso insostenibile.

Intanto, un geometra in serio pericolo di attacco di panico, si stava avventurando nella selva cittadina del giardino di via delle Acque Basse. Il cuore batteva come una grancassa e le gambe tremavano.

Dopo lunghi tentennamenti era deciso ad affrontare la verità e per l'occasione si era armato di una pila e di un coltello che avrebbe potuto ferire nulla più di una mela ben matura.

Quando aprì la porta del capanno ebbe un attimo di mancamento e si disse che non esiste verità più inconfutabile di quella che descrive la realtà come superiore a ogni immaginazione. Non vedeva l'ora di tornare a casa e raccontare ciò che i suoi occhi avevano visto, anzi, si pentiva di non avere con sé una macchina fotografica, perché la scena meritava di essere immortalata.

Quando rincasò, la moglie già fingeva di dormire e il groppo alla gola che le era salito nel sentire rientrare un uomo che sperava morto, le impediva di recitare un risveglio improvviso.

Lui preferì non svegliarla perché aveva bisogno di riordinare le idee e, preso un notes, buttò giù fatti e impressioni. Dopo la prima frase si bloccò, inorridito da ciò che stava sentendo: i pantaloni fradici non erano intrisi di sola acqua piovana. L'odore era un indizio fondamentale: Pedro il rosso aveva colpito anche in notturna e l'astuzia felina, o qualche dote paranormale, l'avevano reso pressoché invisibile.

Il nuovo giorno, dopo l'incursione al capanno, il padrone di casa manifestava una profonda alterazione dell'umore. Somigliava – indubbiamente non dal punto di vista estetico – al replicante di *Blade Runner* immerso nella sentita interpretazione di "ho visto cose che voi umani non potete nemmeno immaginare". Per la prima volta nella sua vita si era preso un giorno di ferie dal lavoro e lo sfruttava aggirandosi come uno squalo tra le pareti domestiche. Macinava pensieri e risentimento, astio e ancora un po' di scetticismo. Ma a infastidirlo maggiormente era un senso d'impotenza che tracimava nella vergogna.

Vergogna che rendeva difficile mettere a parte qualcun altro di ciò che aveva scoperto. Chiunque ne avrebbe riso e lui proprio non l'avrebbe sopportato. L'unico sollievo risiedeva nell'incrollabile certezza di poter fare qualcosa di definitivo per porre fine, almeno in parte, alla dilagante follia nella casa di sua proprietà.

Quindi uscì per acquistare il materiale necessario all'attacco, con l'alibi di un unico ripetitivo pensiero: "se guerra dev'essere, guerra sarà".

XII

Si può indurre il popolo a seguire una causa,
ma non far sì che la capisca.
CONFUCIO

Con la prima neve arrivò una brutta notizia che strinse la zona in un dolore comune. In una gelida notte di inizio dicembre, il cuore del Vecchio Roncola si era fermato, così, durante il sonno, senza un minimo di preavviso.

In sua memoria, Mosas organizzò una cena sociale allargata agli amici del quartiere. Tutti si presentarono puntuali, portando cibo e il lutto nel cuore o nell'abbigliamento: i Cloni vestiti di bianco, gli inquilini della casa vestiti come meglio credevano e le Lagos Sisters vestite e basta.

Si accesero candele, si offrirono soldi per allestire un funerale degno di un eroe, si mangiò parecchio. I cinesi recitarono o cantarono (l'interpretazione era dubbia) una sorta di nenia in ideogrammi che, nelle intenzioni degli autori, doveva servire a far salire l'anima del defunto. La meta dell'ascesa non era chiara e Freeda espresse ai presenti un suo caustico pensiero: «Sia ben chiaro che la soffitta è già occupata!»

Giunti al dolce, gli ospiti furono raggiunti dal capo famiglia che fino ad allora se n'era stato ben chiuso in camera da letto. Carlo Alberto fece un'entrata che a Ben ricordò *Il fanta-*

sma di Canterville. Esibendo l'immancabile lenzuolo che lo copriva fino alle ruote della sedia, pareva una Sacra Sindone motorizzata.

A quel punto, Mosas diede lettura al testamento dell'ospite d'onore, confidando che la sua anima fosse ancora presente date le difficoltà di traduzione dal lessico orientale.

«Lascio le mie poche finanze ai Cloni che, come me, si sono sempre fatti un culo così; a Mosas, la mia bicicletta; a Ben, i cimeli di guerra; al Signor Giò, il canarino (non mangia l'insalata e una volta alla settimana gli va di buttar giù qualche goccia di birra). La roncola me la porto dietro... qualsiasi cosa ci sia di là, sicuro che qualche tedesco lo trovo».

La commozione era ai massimi livelli, così parve sensato dare fondo agli alcolici.

Quando ormai la triste serata giungeva al termine, Ben si avvicinò ad alcuni invitati bisbigliandogli qualcosa all'orecchio.

Così, mentre molti si avviavano a tornare alle loro dimore, altri restavano ancorati alle sedie e si guardavano tra loro con curiosa apprensione.

Attorno al tavolo, che ora appariva troppo lungo almeno di dodici gambe, sedevano gli inquilini della casa e poi Robin Hood, Welches, Arsenio, Kandinsky, Pool e Ufo. Se in quel frangente fosse entrato un qualsiasi commissario di polizia avrebbe urlato «bingo!»

Ben si sedette a capotavola. I suoi abiti neri, quelli di tutti i giorni, la rendevano del solito pallore cadaverico, ma negli occhi c'era una luce che elargiva ai presenti una straordinaria vitalità.

Alla sua destra, Mosas sfogava la tensione rassettando un esiguo quadrato di tovaglia. Ogni briciola, ogni granello di sale, erano meticolosamente suddivisi per genere e dimensioni, catalogati e ammucchiati con perfezione geometrica. Il tutto sotto gli occhi attenti di Ufo, il ladro professionista, che davanti alla ricercatezza dei gesti provò una sorta d'insano impulso ad appropriarsi di qualche frammento di mollica.

Welches non riusciva a distogliere il pensiero dall'improvvisa dipartita del Vecchio Roncola e si sorprendeva immerso in tristi considerazioni sulla vita: apparentemente accettabile ma falsa come le banconote che stampava in un sottoscala della zona.

Di fianco a lui, la Signora Irina bofonchiava qualcosa in merito all'ora tarda, alla stanchezza, ai piedi gonfi, ai colombi veicolo di malattie letali, ai mariti virtualmente assenti.

Il muto non tradiva le aspettative della moglie e fissava con interesse una ragnatela che dal soffitto si dipanava sulla parete con perfezione commovente. I suoi capelli bianchi si agitavano con una certa frequenza dato che Cristoforo il colombo ci aveva infilato la testa per concedersi il sonno dei giusti, che quella sera prometteva di arrivare troppo tardi per i suoi bioritmi.

Francis e Paolo erano uniti, oltre che da un amore cristianamente peccaminoso, da una preoccupazione comune: il loro soffitto pisciava acqua e la cosa non faceva piacere. A sollevargli lo spirito accorreva la certezza che non erano soli nella tragedia, perché le conseguenze della ristrutturazione non erano un'esclusiva degli spazi già toccati dalle nefaste mani degli operai. Allagamenti, cedimenti strutturali e cortocircuiti dilagavano al pari di un'epidemia refrattaria a qualsiasi intervento medico. Anzi, sovente le pecche di sopra si riversavano sui piani bassi con modalità che molto ricordavano le leggi divine sulle colpe dei padri che ricadono sui figli.

Telemaco era turbato da pensieri meno materiali ma altrettanto insistenti. Dal mattino, appena sveglio, la sua mente era occupata da un concetto repellente. Forse a causa della radiosveglia, del freddo intenso della notte in soffitta, o di un'imminente emorragia cerebrale, le sue abituali elucubrazioni di stampo filosofico erano del tutto sparite lasciando il posto a una paranoia dal testo, si augurava, piuttosto ermetico: «*Dal cucuzzolo della montagna, con la neve alta così, per la valle noi scenderemo con ai piedi un paio di sci-sci. Dal cucuzzolo della montagna, sotto un cielo tinto col blu, con in testa un passamontagna scenderemo sempre più giù. Scivolando con gli sci, scivolando con gli sci, scivolando con gli sci... con una lunga, lunga, lunga seggiovia sulla cima tutta bianca torneremo. Dal cucuzzolo della montagna, con la neve alta così, per la valle noi scenderemo con ai piedi un paio di sci-sci. OILALÀ!*»

Freeda, turbata solo dal freddo intenso della notte in soffitta, rivelava un umore da codice penale.

Robin Hood, quello che arrotondava la pensione minima rubando dal negozio della moglie, avrebbe preferito il cucuzzolo della montagna al suo morale a terra. Da dietro la montatura degli occhiali, che riusciva persino a dargli un aspetto distinto, i suoi occhi tradivano una profonda agitazione... più che legittima, dato che la moglie manifestava qualche "subdolo" sospetto circa la merce mancante. "Quella è capace di mandarmi in galera", pensava mentre la pancia diffondeva messaggi allarmanti sottoforma di colite.

All'altro lato del tavolo, Pool raccontava un'improbabile storia di spie teutoniche che secondo lui avevano assassinato il Vecchio Roncola – ora oltraggiato da un'ospitata nel Walhalla – simulando, con l'inconfondibile rigore tedesco, un infarto.

Arsenio, il ladro d'opere d'arte, lo ascoltava ammirato dal numero di panzane che un cervello poteva partorire nonostante le ridotte dimensioni del suo involucro.

Kandinsky, l'artista della copia, pensava in polacco e senza sottotitoli, indi non era dato sapere cosa gli frullasse per la testa.

Carlo Alberto e le sue ruote stavano timidamente in un angolo, a meditare nell'intimità del lenzuolo su quale diavoleria stesse ammorbando la mente di Ben.

In definitiva, gli unici a mantenere un certo distacco erano gli animali, che se la dormivano con piacere. Tutti tranne Pedro il rosso, che per sua natura privilegiava la curiosità al sonno.

Quando Ben si alzò dalla sedia sembrava più alta del solito di almeno un metro. La determinazione che la animava era incorruttibile e anche gli altri, pur non sapendo ancora di cosa si trattasse, ne erano contagiati.

La ragazza dai capelli gialli iniziò il suo intervento con una domanda semplice semplice.

«Qualcuno di voi è contrario a fare qualcosa di illegale, di un po' rischioso e di parecchio cattivo?»

L'uditorio era conquistato. In un muto passaparola gli invitati si rivolgevano sguardi a forma di punto interrogativo.

Carlo Alberto sorrideva immensamente divertito e si pentiva di non aver praticato due buchi sul lenzuolo per vedere le facce degli altri.

La prima a rispondere, se una domanda può fungere da risposta, fu la Signora Irina.

«Si potrebbe saperne di più? Perché è facile buttare lì le cose ma c'è illegale e illegale, cattivo e cattivo...»

«No!» fu il monosillabo che Ben scagliò per fermare l'ondata di parole in imminente pericolo di straripamento.

«Mi dispiace» aggiunse «ma preferisco continuare la conversazione esclusivamente in presenza di chi se la sente di andare avanti in questa storia. Tutto ciò che posso aggiungere è che il protagonista del mio progetto è il padrone di casa. Per lui ho in mente un piano di ristrutturazione persino più dannoso del suo. Quindi, "chi non lo ama, mi segua", gli altri sono liberi di andare a fare la nanna nei loro lettini santi».

Gli sguardi continuarono a circumnavigare la stanza, e i successivi dieci minuti di imbarazzante silenzio furono apprezzati da Ben che li lesse come un ragionevole tempo di elaborazione dati.

Infine, dal tavolo si alzarono Telemaco e la Signora Irina. Il primo baciò le labbra di Freeda carezzandole teneramente i capelli rossi, dopo di che si allontanò, praticamente *scivolando sugli sci*. La seconda rimase in attesa che il marito si muovesse, ma il Signor Giò era impegnato in amorose effusioni al colombo che nel frattempo si era svegliato per non perdersi lo spettacolo. Irina manifestò il suo disappunto e il consorte manifestò una momentanea sordità che, unita al mutismo, rendeva bene l'idea del "siamo assenti, se volete lasciate un messaggio dopo il bip". Ovviamente non seguiva alcun "bip".

Paolo guardò con infinito affetto Francis e gli chiese, quasi con un filo di voce, di andarsene.

«Perché?» domandò lui, ricambiando lo sguardo ma con indignazione.

«Cucciolo, basto io qui. Se veramente c'è da correre qualche rischio è inutile farlo in due, non ti pare?»

«E allora... perché non te ne vai tu?»

«Perché non potrei sopportare di vederti in carcere».

Tutti s'intenerirono, Robin Hood era sull'orlo del pianto e commiserava se stesso pensando a quella carogna di moglie che si ritrovava e che non ci avrebbe pensato due volte a denunciarlo, se solo avesse trovato una prova della sua colpevolezza nella sparizione di collane e anelli.

Quando i tre furono usciti, Ben riprese la parola.

«Quanto mi diverto! Adoro far scappare la gente, direi quasi che è la mia missione. Coppie che si dividono davanti al pericolo... non è buffo?»

Le occhiate rivolte alla ragazza sembravano unite da un'unanime disapprovazione.

«Che palle!» sbottò «Non avete il senso dell'umorismo. Vabbè, passiamo alle cose serie».

E buttò giù un programma da far tremare i gozzi. In estrema sintesi, elencò una serie di azioni di facile realizzo, almeno sulla carta, e dai costi contenuti. Si trattava solo di scegliere tra le varie possibilità.

«Il nostro obiettivo è eliminare il padrone di casa» esordì con orgoglio la ragazza. «...Ma non proprio fisicamente, cioè non lo si ammazza direttamente... troppo facile! Potremmo iniziare pagandogli il prossimo affitto con soldi falsi, sperando che Welches ci faccia un buon prezzo».

Il falsario annuì con una benevolenza nel sorriso pari a quella di un missionario.

«Magari nel mucchio ci infiliamo qualche banconota buona, tanto per confondere le idee. Appena va in banca con la mazzetta tarocata, si ritrova in un mare di guai. Nel frattempo potremmo anche alleggerire il negozio di Robin Hood...»

«Non è mio» tenne a precisare il diretto interessato «La proprietaria è quella vacca di mia moglie... e se devo essere onesto, non mi pare una buona idea. Quella già sospetta di me da tempo...»

Il Signor Giò gli diede una solidale pacca sulla spalla.

«E infatti tu non farai nulla, tranne darmi tutte le informazioni sul sistema d'allarme. Quando sarà giunto il momento, porterai la "vacca" a cena fuori e il lavoro lo faremo Ufo e io».

«Se la porto fuori a cena non avrà più sospetti, solo certezze. L'ultima volta che siamo usciti insieme lei mi chiamava ancora "tesoro" e i programmi tv erano in bianco e nero... non so se rendo l'idea» obiettò Robin.

«Va beh!» concluse spazientita Ben «fatti venire in mente qualcos'altro, basta che ve ne stiate lontani per un po', magari in presenza di testimoni... non si sa mai. Se tutto fila liscio nascondiamo la merce in casa del Travi e Pool fa una soffiata, farcita dei tanti particolari che solo lui sa inventare, alla polizia. In capo a qualche giorno il geometra si ritrova invischiato in un bel casino. Terza proposta: qua serve l'intervento di Arsenio. Quali sono le ultime opere che hai sottratto e che sono finite a compratori stranieri? Serve roba famosa, che salti subito all'occhio».

Arsenio si prese un po' di tempo per pensare e aggrottando la fronte partì un elenco da far invidia al Louvre.

«Ci sarebbe un Picasso, un Rembrandt niente male, un Van Eyck da svenirci... e poi Burne-Jones, Mengs, Millet (quello era talmente bello che quando me ne sono dovuto separare ci ho pianto), Liotard... sapete, quel tizio è vissuto nel Settecento, in Europa e se ne andava in giro vestito da turco... i pittori sono "qualcosa" di diverso, è impossibile entrare nella testa di un artista... dalla pennellata puoi intuire il tipo di pazzia, ma il mondo che c'è dentro... non c'è storia! Ma non divaghiamo, ero rimasto a Liotard... ah sì, un Fragonard che era l'incarnazione della perfezione. Poi...»

«Direi che può bastare» intervenne Freeda con un accenno di mancamento «tra un po' non c'è più nulla da vedere. Ma con un curriculum del genere, com'è che non sei miliardario?»

«E chi ha mai detto che non lo sia» disse Arsenio con fanciullesco candore.

Ben ci mise un attimo per riordinare le idee, poi volse lo sguardo a Kandinsky.

«Tra quelli dell'elenco, chi ti riesce meglio?»

L'artista bisbigliò qualcosa in polacco ma nessuno gli diede peso, quello era il suo modo di pensare.

«Io deve vedere: artista dice poco, dipinto dice tutto».

Sembrava un manifesto minimalista sull'arte, sei parole scevre da criteri grammaticali, ma ricche di contenuti.

«Magari uno o due già fatto. Deve vedere...»

«Il tempo non è molto e ce ne servono un paio. Devono essere perfetti, non ci mettere del tuo».

Il consiglio di Ben fu prontamente tradotto in polacco dalla versatile mente di Kandinsky e quindi recepito senza ulteriori esitazioni.

«L'idea è sempre la stessa... lo si incastra come ricettatore di banconote false, di gioielli e opere d'arte rubate».

C'era della perplessità, solo Pool sembrava conquistato dalle opzioni presentate. L'uomo sulla settantina, vestito di tutto punto, iniziò a carezzarsi il pizzetto grigio e quello era il segnale in codice dell'imminente spargimento di menzogne elegantemente confezionate.

A bloccarlo bastarono alcuni commenti esplosi all'unisono: «troppo complicato», «troppo elementare», «troppo rischioso»...

«Troppo e basta» osservò infine Arsenio. «Incastrare qualcuno è come fare un ricamo sulla seta. Bisogna muoversi con delicatezza e mano ferma senza tendere in eccesso il filo né lasciarlo troppo lento. Non dico che tutte queste idee siano da buttare, ma messe così forniscono una chiara identità... portano tutte nella stessa direzione, cioè qui. No, bambina mia, ci vuole dell'altro, un lavoro più di fino».

Il silenzio che seguì fu il palcoscenico della tristezza di Ben. Si sentiva sconfitta, umiliata e anche un po' scema.

In quel frangente, il Signor Giò tirò fuori dal taschino un foglio un po' sgualcito, piegato in quattro parti. Con lentezza sufficientemente esasperante lo aprì, passandoci una mano sopra per renderlo del tutto liscio e presentabile, poi lo spinse in direzione di Ben.

Lei si sedette, iniziò a leggere quella calligrafia piccola ma curata e all'ultima riga, regalò un sorriso che le fece sussultare l'ago piantato nel naso.

«Ci siamo! Ci siamo, eccome!» esordì «Ora so cosa fare e non mi servono complici... questa è materia mia. La riunione è sciolta».

Detto ciò, ripiegò il foglio e se lo infilò in uno stivale. Prima di uscire guardò il Signor Giò, che nel frattempo era tornato nel suo mondo interiore. Lo guardò pensando che quell'uomo era il padre che aveva sempre desiderato.

Quando Ben uscì, Arsenio ruppe il silenzio: «Quella ragazza sembra un quadro di De Chirico... è metafisica».

XIII

Quando si è in un pasticcio tanto vale goderne il sapore.
CONFUCIO

Il periodo non era dei migliori, con la festività dell'8 dicembre, la sacralità del Natale, i bagordi di capodanno, l'avvento della Befana, la naturale pausa di riflessione successiva a un periodo di tale portata, gli operai reputarono doveroso sparire per un mese e mezzo. Nel frattempo Telemaco e Freeda, in evidente stato di ipotermia, furono ospitati in casa di Irina e del Signor Giò. Quest'ultimo faceva rare tappe nel suo alloggio, mentre la moglie cucinava a tutte le ore, intercalando lunghi monologhi a momenti di canto liberatorio.

Non fosse stato per il cibo, Telemaco e Freeda si sarebbero accontentati di sottoporsi alla crioconservazione nell'intimità della soffitta, pur di evitarsi quella continua presenza verbale.

C'è da dire che dopo la prima settimana iniziarono ad abituarsi a Irina, ma svilupparono un'inquietante forma di mutismo che emulava le condizioni del Signor Giò.

Pierre manifestava disagio per la presenza di Abelardo, il cane che tra i suoi avi sembrava annoverare anche un tricheco; Cristoforo che defecava dove meglio gli pareva, e Pietrina

– la gatta grigia con la bocca storta dal cervello incidentato –
in continua tempesta ormonale che lo corteggiava senza
pudore. Così, quando proprio doveva abbandonare la maglia
di Telemaco, finiva per nascondersi sull'ultimo piano delle
mensole in cucina, luogo accessibile solo al colombo, che non
mancava di beccarlo con selvaggia ostilità.

Le feste, comunque, passarono velocemente senza troppo
clamore e a metà febbraio rispuntarono i primi esemplari di
stanca manovalanza.

L'evento aveva un suo perché: la stanza da bagno della
coppia Signor Giò-Irina stava diventando l'habitat perfetto
per una coltura di funghi casarecci o, in alternativa, incarnava l'ideale ritorno a casa, ossia alle paludi, per la dionaea di
Ben.

Gli idraulici diagnosticarono la frattura scomposta di
uno snodo all'impianto del piano superiore (uno degli operai aveva frequentato qualche lezione alla facoltà di
Medicina). Poi, quale fosse lo snodo in questione era oscuro
ma, che cavolo!, non si può sapere tutto nella vita.

Si trattava solo di fare qualche buco qua e là, tirar via una
dozzina di mattoni dei quali nessuno avrebbe sentito la
mancanza, smantellare il pavimento del primo piano, per
inciso quello da poco posato, così nel frattempo si raddriz-
zavano le mattonelle. Roba di pochi giorni.

Un mattino come tanti altri, il padrone di casa e due operai stavano fissando il buco. Un discreto buco sul soffitto che
portava direttamente alla tazza del water di Ben. L'acqua era
stata chiusa, non c'era pericolo di allagamento, le cose non
potevano che andare per il verso giusto.

Però, come al solito, gli inquilini non erano stati avvisati
dei possibili disguidi da lavori in corso. Fu così che Ben,

appena sveglia e ancora un po' rintronata, sentenziò che era tempo di porre rimedio alla pigrizia intestinale di cui era vittima da una settimana. Ci mise tutto l'impegno di cui era capace, si concentrò davanti a un caffè nero e, infine, riuscì in un'unica rapida battuta a mettersi in pari di sette giorni d'arretrato.

I primi dubbi la colsero quando tirando l'acqua sentì che lo sciacquone rifiutava di riempirsi. Guardò giù, nel buco, e vi trovò un padrone di casa lento di riflessi e inequivocabilmente smerdato. In quella frazione di secondo in cui di norma la razionalità è sopraffatta dall'istinto, lei non provò gioia, vergogna o altro, sentì soltanto salire il solito disappunto, e non trovò di meglio da dire che «Cazzo! Potreste dirlo quando togliete l'acqua, tra un po' devo uscire e la doccia con cosa me la faccio?»

L'ancor più sbigottito geometra si trovò a scandire, contro la sua volontà, uno «scusi» che suonava proprio pentito.

Quando la razionalità si ripresentò alla porta dei due cervelli, Ben saltellò per tutto l'alloggio, contenta come non la si era mai vista, e Bernardo Travi fu colto da violenti conati di vomito per lo più di matrice nervosa.

Comunque la frattura scomposta dello snodo fu riparata dall'aspirante medico che effettuò un'ingessatura assolutamente permeabile, ma da manuale.

Quella sera, a casa, il geometra ruppe il voto di silenzio fatto dopo la visita al capanno.

«Oggi mi hanno cagato in testa» esordì con tutta l'umiliazione che sapeva declinare nella voce «e non tanto per dire, sul serio... mi sono distratto un attimo, ho tolto lo sguardo dal buco e mi è piovuta merda in testa. Ho già fatto due docce ma ne sento ancora l'odore. Oltrettutto era "roba" della testa gialla: minimo mi sono preso l'Aids. Questa è la classica ciliegina sulla torta, e che ciliegina!»

«... e che torta!» esclamò la moglie, anche lei nauseata ma per altri motivi.

«Sono letteralmente sconvolto! In quella casa c'è il demonio, sicuro. Invece di ristrutturarla dovevo portarci un esorcista. Pensi che stia esagerando? E allora senti questa: ho scoperto che nel capanno del giardino... chiamalo poi giardino, ci sono delle erbacce alte come me. Ma guai a dire che è incolto. Quei bastardi mi hanno detto che durante una specie di riunione di condominio – pagherei per vederne una, probabilmente le fanno in una fumeria d'oppio – hanno eletto all'unanimità il giardiniere. Sai chi è? Quella specie di san Francesco col colombo. Allora, quello lì dice, evidentemente a gesti perché non lo si è mai sentito articolare parola, che le erbacce non si toccano perché è nel loro diritto vivere come qualsiasi altra pianta. Alla fine della fiera, adesso l'area verde della casa va bene solo per girarci un film sulla guerra del Vietnam. Dov'ero rimasto? Ah sì, allora sono entrato, nottetempo, nel capanno... e sai cosa c'era lì dentro?»

«No, e non me ne frega niente» rispose la moglie.

Quella frase, espressa quasi con noncuranza, uscita fuori con naturale spietatezza, gelò il geometra. Mentre guardava la moglie allontanarsi verso la camera da letto si sentì solo, forse per la prima volta nella vita. Aveva persino voglia di piangere, ma l'orgoglio gli impediva di aprire i rubinetti.

Iniziava a cogliere, con anni di ritardo, una certa ostilità da parte della consorte. Un fatto nuovo, dato che l'aveva sempre considerata una donna insipida e priva di qualsiasi pulsione. Per una frazione di secondo provò quasi un po' d'interesse per l'imprevisto look interiore della Signora Travi.

Per distrarsi dallo scivolone romantico, finì col pensare alla sorpresa che aveva in serbo per i suoi inquilini e vide profilarsi all'orizzonte della capoccia la serenità dell'infame: una sorta di Prozac congenito, capace di produrre serotonina a chili ogniqualvolta la mente inizi a elaborare un pensiero meschino.

XIV

*Smetterò di amarti solo quando un pittore sordo riuscirà
a dipingere il rumore di un petalo di rosa cadere
su un pavimento di cristallo di un castello mai esistito.*

JIM MORRISON

Le previsioni meteorologiche sprizzavano ottimismo da almeno quindici giorni, quando Freeda e Telemaco decisero che era tempo di tornare nel loro alloggio. Appena varcata la soglia furono accolti da un cumulo abnorme di macerie, in luogo della parete che divideva la camera da letto dal tinello. Nonostante ciò, e nonostante la mancanza di porte e finestre, l'ambiente sembrava quello di prima. Certo le pareti, quelle rimaste, erano da ritinteggiare e, onde evitare attacchi di mal di mare, era meglio non indugiare con lo sguardo sul pavimento. Ma tornare a casa era piacevole.

Questa sensazione durò poco perché la coppia del piano di sotto stava entrando con scatoloni, tastiera, percussioni e altri generi di prima necessità.

Per un attimo le due coppie si guardarono con la benevolenza dei duellanti di un film western, poi si ammorbidirono concentrandosi sul disastro che avevano davanti.

Paolo posò una pila di fumetti e si sedette a terra in posizione yoga: «Volendo, ci potremmo stare anche in quattro...»

«Volendo, potremmo buttare giù l'ultima parete e ci stanno anche i Cloni» tagliò corto Freeda con un pizzico di erosivo fastidio.

«Torneremo in soffitta, ora non fa più tanto freddo» conciliò Telemaco.

E così fecero, mentre i due musicisti ripresero a farsi la rampa di scale sotto il peso della mobilia.

Ci sono persone che sono destinate a incontrarsi, che formano due metà interdipedenti di un qualcosa di inevitabile, due pezzi di un puzzle che s'incastrano alla perfezione. Di contro, esistono persone incompatibili tra loro: da qualunque lato le si guardi non è possibile individuare un punto d'inserzione, è come se fossero irti di punte, poste con millimetrica precisione in corrispondenza di quelle dell'altro; è un continuo cozzare, anche a distanza.

È inutile dire che apparentemente le coppie del primo tipo sono le migliori. Ma non è che un'illusione dettata dall'esigenza di credere che al mondo esista qualcosa di perfetto, di armonioso. Le coppie incompatibili sono destinate alla felicità perché (c'è poco da fare) la passione si nutre di dissonanze, e senza passione i rapporti sono di una noia mortale.

Paolo e Francis erano uomini irti di punte, ma perfettamente incastrabili. Non rientravano nella categoria delle persone nate per incontrarsi, ma non avendo una sola caratteristica in comune, l'uno colmava i vuoti dell'altro... ed erano vuoti abissali.

Il loro rapporto funzionava oltre ogni legittimo sospetto: Paolo viveva di insicurezze, Francis aveva solo incrollabili certezze; Francis credeva fermamente in Dio, Paolo nutriva qualche dubbio; Francis era un'accozzaglia di sintomi esaltati dalla convinzione che scaturissero da malattie terrifiche, Paolo sapeva minimizzare anche gli effetti di un cancro al cervello; Paolo adorava la gente – tutta senza distinzioni – Francis diffidava di qualsiasi bipede; Francis era omosessuale in ogni atomo del suo corpo, Paolo era un etero pentito ma non troppo; Francis costituiva il manifesto vivente della razionalità e della concretezza, Paolo trascorreva gran parte della sua vita sognando; Francis detestava anche solo l'idea di lavorare, Paolo si faceva un mazzo così.

Eccolo l'incastro perfetto, quello che di due persone piene di difetti ne fa una quasi normale. Non litigavano mai, almeno non in coppia. Anche i tempi della rabbia non coincidevano. Certo, Francis si lamentava spesso, poneva aut aut inquietanti, talvolta alzava la voce e l'arricchiva con merletti di insulti. Ma Paolo non si alterava mai, era come incapace di mettere in piedi una lite, di dare consistenza a uno screzio.

L'unico punto d'incontro della vivacità di entrambi era costituito dal sesso e quindi i loro frequenti momenti d'intimità erano roba da far ondeggiare i lampadari.

Paolo e Francis si erano conosciuti in un localino intriso di fumo e di olio rifritto all'infinito. Francis suonava una tastiera un po' sgangherata e tuttavia ricca di sonorità insospettabili. Paolo stava seduto a un tavolo con davanti una birra e a fianco una ragazza piuttosto bruttina, ma che indossava un vestitino minimalista che, al pari della tastiera, rendeva esplicite qualità insospettabili.

Francis, quando suonava, evitava di guardare il pubblico: non per timidezza, ma per un senso di fastidio o di amara nausea nell'offrire la sua arte a estranei. Quindi lasciava le mani libere di correre sulla tastiera e teneva gli occhi chiusi. Così, senza immaginare qualcosa.

Ma quella sera le sue palpebre si alzarono e la prima cosa che vide fu il viso di Paolo. I lineamenti di quel ragazzo, apparso nel bel mezzo di un brano targato Ray Charles, ricordavano il muso di un pipistrello: occhi nero pece, narici in primo piano, bocca da topo; il tutto sottolineato da orecchie a sventola col padiglione appuntito, come quelle di un elfo. Stonavano i capelli, lunghi e folti, raccolti in due trecce da Toro Seduto.

Il primo impatto, quindi, non era dei più entusiasmanti. Per non parlare della sua accompagnatrice che – se agli occhi di Francis tutte le donne erano brutte – quella era un vero cesso combinato con accessori di dubbio gusto.

Detto ciò, risulta quantomeno anomalo che Francis perseverasse nel fissare il pipistrello. Ma quel ragazzo era talmente lontano dai suoi esigenti canoni estetici da meritare un'attenzione non superficiale. Sulla tastiera, le dita si erano accordate per improvvisare una musica da saloon e il pubblico sembrava essersi svegliato da un sonno secolare.

Alle due il concerto terminava, la sala era pressoché vuota e i camerieri iniziavano a rivoltare le sedie per adagiarle su tavoli cerchiati da birre passate. Paolo era ancora lì, guardava il pianista dalle dita chilometriche e si chiedeva quale mistero genetico avesse dato vita a un umano tanto simile a un gatto. Gatto e pipistrello: un'accoppiata che prometteva faville... amore o morte.

Per una dozzina di sere, Paolo non si perse un'esibizione del pianista felino e Francis continuò a fissare il pipistrello che, a forza di guardarlo, cominciava a diventare bello. D'altronde, gli occhi sono i sudditi più devoti del cervello, tanto fanno che ti portano a vedere quello che vorresti, anche dove non c'è.

Al termine del tredicesimo concerto, Paolo – per nulla convinto di quello che faceva – si avvicinò a Francis con la scusa di esternare una sincera ammirazione per i virtuosismi musicali. E rimase sbigottito quando, per risposta si ritrovò a elaborare una frase tanto lontana dal "grazie" che si aspettava: «Sono gay!»

Cosa voleva significare? Che i gay hanno un rapporto preferenziale con i tasti bianchi e neri? Che era superfluo complimentarsi perché gli omosessuali, notoriamente ipersensibili, vantano pure facoltà telepatiche? O forse il gatto aveva frainteso la natura della sua ammirazione?

Paolo era perplesso, con poche parole sentiva di essersi infilato in un casino. Ma, tutto sommato, era così fastidiosa la sensazione di aver scatenato un equivoco dai risvolti oscuri? E – pensava – se si poneva questa domanda, la risposta non poteva che essere un "no". Quindi l'interrogativo successivo fu "sarò mica un po' gay pure io?"

A questo punto sorge un dubbio, più o meno legittimo ma sempre dubbio è: si può essere un po' omosessuali?

Francis, l'uomo dalle incrollabili certezze, avrebbe risposto con un ceffone, perché i tasti del piano sono bianchi o neri e il grigio non rientrava nelle sue possibilità mentali.

A Paolo, invece, il grigio piaceva, lo reputava un colore che sta bene su tutto; una non-scelta; un'oscillante variante del bianco e del nero; una di quelle tonalità che fanno fine e non impegnano.

Così, dopo essersi preso settimane di tempo per riflettere sul significato intrinseco della dichiarazione «sono gay», decise che ci stava pensando un po' troppo e fece in modo di rincontrare il pianista.

Francis, nel giro di poche frasi, smantellò le modeste e instabili sicurezze di Paolo. Lo convinse del fatto che le donne non gli piacevano poi così tanto; che Francis, anche se gli pareva un paradosso, avrebbe potuto offrirgli una vita normale: con qualcuno che ti aspetta a casa ed è pronto a offrirti certezze in luogo delle quotidiane perplessità; con qualcuno che sa decidere per te; con qualcuno che non ti catapulta nello sgomento con questioni di matrimonio e figli, pur garantendoti il rassicurante calore della famiglia; con qualcuno con cui inoltrarsi nell'affascinante mondo del "non si fa".

L'irrefrenabile pulsione verso l'ordine di Francis, fecero il resto... perché il punto debole del pipistrello con la chioma da pellerossa era il passato vissuto tra persone ingabbiate nel caos, tra consanguinei dalla mente instabile, dall'umore variabile, dall'affettività insondabile.

Prima di maturare il tempo necessario per rendersene conto, Paolo si ritrovò in un appartamento arredato sobriamente ma con indiscutibile gusto, attorniato da vicini così poco convenzionali da dargli la sensazione di essere squallidamente regolare, con orari e ritmi assurdi ma strutturati con estrema precisione, con un lavoro fisso e la determinazione a continuare gli studi universitari.

Prima di maturare il tempo necessario per rendersene conto, Paolo si scoprì felice. Una sensazione nuova, forse la più trasgressiva. E quella felicità trovava il naturale sfogo in un amore sincero verso l'artefice della sua nuova vita.

Paolo e Francis si amavano, su questo non c'erano dubbi.

Nella casa si trovavano bene perché tra quelle mura scalcinate c'era di tutto, tranne il pregiudizio.

Francis aveva instaurato un rapporto privilegiato con Irina. Ci chiacchierava volentieri e non mancava di seguirne i consigli sui più svariati argomenti: dai detersivi per lavare i pavimenti, alle manovre per tenersi stretto il compagno, passando per le ricette culinarie dal discutibile effetto afrodisiaco.

Il gatto-pianista aveva smesso di lavorare nei locali perché – Irina docet – una buona moglie deve garantire al marito un ambiente pulito e impeccabile, uno stato mentale e fisico sempre fresco e riposato. Questo, almeno, era l'alibi colto al balzo da uno che odiava lavorare. Ma la notte continuava a suonare avvalendosi delle più recenti frontiere raggiunte dalla tecnologia.

Ben gli aveva confezionato un programma per pc su misura, in grado di sostituire egregiamente un'orchestra. Certo, lui preferiva gli strumenti tradizionali, ma con una buona cuffia poteva scatenare uno sproposito di decibel senza disturbare il sonno già precario dei vicini. Poi, quando la voglia di musica invadeva altri animi nella casa, Francis invitava qualche amico, Paolo accordava il suo basso e partiva un jazz da far venire l'invidia a placche agli Aristogatti. Che sound proveniva da quell'alloggio! Roba da risvegliarti da un coma apallico, da spaccarti il cuore in due e ricucirtelo con suture sincopate.

Comunque sia, dopo lo sfogo estivo in soffitta, i concerti erano terminati e sulla zona era scesa la solita indolente tristezza, quella tristezza che pasteggia a silenzi.

XV

Se fossimo fatti per guardare indietro,
ci avrebbero messo gli occhi sulla nuca.

BLACK LINK

Il silenzio svaniva nelle ore della luna.

Ben e Carlo Alberto scandivano i minuti con i bisbigli della loro intima conversazione. Conversazione che attendeva, rispettosamente, in fila dietro le pagine dei libri.

«..."A questa storia gli sbirri non s'interessarono, non vidi l'ombra di nemmeno uno di loro. Perché con una povera pazza che si strappa un occhio e poco dopo mette fine ai suoi giorni ingoiando un'intera scatola di kleenex evidentemente non c'è modo di brillare. Quando me l'ero battuta con i soldi ne avevano fatto una tragedia, i giornali ne avevano parlato e di nuovo i posti di blocco erano sbocciati nella zona. Ma ucciderla, no, avrei potuto ricominciare cinquecento volte da capo e non avrebbero scollato il sedere dalle sedie. Io, in fondo, non chiedevo di meglio. Tra l'altro, quando mai si è sentito che una vera storia d'amore finisca nei locali della polizia? Una vera storia d'amore non finisce mai. La mia, tra l'altro, non era semplice come tutte queste storie grottesche. Devi pur aspettarti di volare un po' più in alto quando hai il cervello leggero come una piuma"...»

«Qualcosa di più truculento non c'era? Poi mi lamento che soffro d'insonnia» interruppe Carlo Alberto.

«Questo romanzo è bellissimo. E poi lei si lamenta sempre: e gli autori russi sono deprimenti, e i classici italiani sono noiosi, e i giovani non hanno niente da dire, e gli americani scrivono come mangiano, e i gialli sono poco gialli...»

«Ho capito, mi lagno in continuazione».

«Soprattutto non è un minimo propositivo» disse Ben stizzita «lascia a me la scelta per lamentarsene».

«Spero sempre che prima o poi azzecchi il filone giusto e, lo ammetto, con Oscar Wilde ci è andata vicina. Ma con questo obbrobrio siamo assai lontani... bah, una che si cava gli occhi e poi lui la uccide con i fazzoletti di carta...»

«È la più bella storia d'amore che abbia mai letto».

Con questa argomentazione Ben concluse la critica letteraria.

«A proposito» riprese Carlo Alberto «perché non mi racconta un po' di lei?»

«Che vuole che le dica?» chiese Ben in evidente tensione da imbarazzo.

«... lei è una piccola Penelope che tesse e disfa la sua tela nella rete del computer. Ma dov'è il suo Ulisse? Insomma, non ha ancora incontrato qualcuno che soffocherebbe con i kleenex?»

Silenzio.

«Insomma, perché non ha il... come lo chiamate voi giovani... il "ragazzo"?»

«Non sono per il romanticismo».

«Ah. E per cosa è?»

«Beh, per...» Ben non riusciva a rintracciare il vocabolo adatto alla situazione.

«Per l'esperienza empirica?»

«Non so esattamente cosa significhi».

«Cara, è solo un termine per evitarle il possibile imbarazzo di risultarmi volgare».

Ben non ci pensò su.

«Ok, sono per i rapporti empirici».

«Alla sua età dovrebbe avere una differente visione dell'amore. Poiché il suo è il tempo dell'amore» affermò con convinzione Carlo Alberto.

«Figuriamoci!» rise la vicina «Le ragazze della mia età, quando s'innamorano si fanno dei film che sono dei colossal. Vedono un idiota che le sorride e parte la proiezione di Ben Hur... e loro lì sulla biga a frustar cavalli e a correre come matte... no, grazie! Un cortometraggio mi basta e avanza».

Carlo Alberto aveva la sensazione di trovarsi davanti a qualcosa di contraddittorio, ma non riusciva a comprendere di cosa si trattasse. Sapeva comunque per certo che la ragazza era troppo immobile nel presente e non solo a causa della giovane età.

«Io penso che il senso della vita sia raccogliere ricordi, qualcosa con cui cullarsi nei momenti bui» si risolse a dirle.

«I ricordi sono roba per gente che non ha futuro» disse bruscamente Ben.

«Può darsi, ma prima o poi arriva un momento senza domani. E se proprio devo essere onesto, non mi spaventa l'idea di trovarmi un giorno al cospetto di Dio a spulciare tra i miei peccati... ciò di cui si deve aver paura, mi creda, è il momento in cui si è posti davanti a se stessi, vestiti solo di passato».

«Basta evitarlo!»

«Questo non è possibile, cara. Probabilmente non esiste alcun dio, ma noi ci siamo, eccome! E prima o poi si finisce per giudicare la propria vita».

«E sono i ricordi a fare punteggio?»

Carlo Alberto sorrise e appoggiò completamente la guancia alla parete.

«Ho paura di sì».

Dopo un lungo silenzio, anche Ben si appiattì contro il muro, e con un flebile sussurro disse: «un tempo ero convinta che ogni mio desiderio si esaudisse. Con il passare degli anni ho capito che non sbagliavo. Solo che la strada magica percorsa dalle aspettative ha regole bizzarre e, spesso, ciniche. In linea generale i miei sogni diventano realtà... è il particolare che mi fotte. Sarà sfortuna o sarà che i sogni hanno comunque un prezzo troppo alto per me».

XVI

Chi conosce il territorio ha le maggiori
possibilità di vittoria in battaglia.
CONFUCIO

Francis, nell'alloggio di Freeda e Telemaco, era nervoso.
C'erano mattoni ovunque (tranne nei muri), calcinacci e
polvere a iosa. Lui cercava di rendere l'ambiente vivibile
delegando il problema agli elettrodomestici... in poche ore si
era come trasformato in un'estensione pensante dell'aspira-
polvere.

Francis era diventato una specie di minotauro versione
"era tecnologica": un mostro mezzo uomo, mezzo tubo
aspirante; il Robocop degli acari.

C'era da averne paura perché, è certo, chiunque avesse
varcato quella soglia si sarebbe ritrovato a sopportare una
potenza aspirante da strappare l'elastico delle mutande.
Ciononostante, l'alloggio continuava a incarnare l'idea della
sporcizia, della fatiscenza, del disastro. E questo per Francis
era intollerabile.

Di contro, a Paolo non avrebbe dato il minimo disturbo,
se solo il suo compagno non avesse intrapreso un'opera di
snervante conversione alla catastrofe, che si manifestava con
urla, pianti e attacchi di odio a pioggia verso il mondo.

L'apice della psicosi da stress fu raggiunto un lunedì pomeriggio, quando Francis, tornato dalle compere, trovò tre muratori in casa che s'inseguivano, spruzzandosi allegramente uno con l'altro la sua eau de toilette alla mirra e sandalo, direttamente proveniente dall'Asia e introvabile sul mercato occidentale.

Davanti alle sue legittime rimostranze, si ritrovò a fronteggiare degli energumeni poco propensi a instaurare un dialogo alla pari con un "rottinculo" (termine suggerito più da un astio atavico per gli individui non omologabili alle regole di una società "perbene", che dalla scarsa padronanza lessicale).

I muratori cominciarono a ondeggiare le natiche e a mostrare lingue bovine mobili come i lombi di una danzatrice del ventre. Francis si sentì completamente paralizzato da un misto di paura e vergogna. Una vergogna che lo feriva, perché smantellava anni di lavoro sulla propria autostima.

L'unica reazione che gli riuscì spontanea fu la fuga. E, immediatamente dopo, il pianto. Si rintanò da Irina e per un buon quarto d'ora non riuscì a esternare la causa del suo turbamento. Irina – cosa insolita – attese pazientemente, anche se nella sua mente già aveva preso domicilio un ventaglio di possibilità ammissibili. Dopo aver scartato l'idea di una lite tra i due fidanzati, impensabile data la scarsa reattività di Paolo, non restava che l'alloggio con tutte le sue macerie.

Quando finalmente Francis smise di soffiarsi il naso e di sussultare, espresse, anzi emise flebilmente, un concetto di difficile interpretazione: «Tutto il profumo... costa caro... ci tengo... non ce n'è più una goccia... preso in giro... sarà sempre così... la gente pensa che sono un mostro...»

Irina, poco propensa a comporre il puzzle linguistico in un idioma che peraltro aveva faticato a fare suo, propinò al disperato una tazza di caffè e si persuase a investigare di persona.

Appena varcata la soglia dell'alloggio numero 4 ebbe la sensazione di trovarsi a Berlino immediatamente dopo il crollo del muro; poi fu investita da un'ondata di profumo che le diede la nausea; infine vide i muratori, e loro videro lei.

«Hei, la "signorina" è venuta a lamentarsi da te?» Chiese un manovale in evidente stato di euforia.

Irina provò un profondo fastidio al limite dell'orticaria, proprio non riusciva a sopportare che quei cretini le dessero del "tu". Lei, così ostile ai convenevoli, tuttavia esigeva rispetto da chi non rispettava.

«Hei signora, che hai fatto a tuo marito? Gli hai mangiato la lingua? Già, dalle tue parti... in Russia si usa così» sbottò un altro, il più grosso dei tre.

«Innanzitutto non sono russa ma slava, ma dubito che abbiate idea di cosa sia un atlante. E poi... hei, che avete fatto ai cervelli? Ah già, evidentemente stavate insieme fin da bambini. Cazzo com'è infettiva la meningite!»

I muratori non capirono e su questo Irina non si era fatta illusioni, ma afferrarono che forse quella "meningite" lì era una roba un po' offensiva; quindi si compiacquero di sbattere fuori la furibonda slava e riprendere la catartica ridarella.

Nello spazio di una rampa di scale, la signora elaborò una vendetta facile facile ma, almeno sul piano tattico, efficace. Per prima cosa chiese a Francis di recuperare l'arma del delitto; di portarle dell'altro profumo di qualsiasi tipo o marca; di smettere di piangere, perché «nella vita ci vuole coraggio e dignità».

Espletate le varie operazioni, Irina si chiuse in bagno e ne uscì dopo poco indossando guanti da chirurgo e tenendo in mano il flacone con la stessa cura che si riserva a una reliquia antica.

«Domani metti il profumo nel solito posto e, mi raccomando, non usarlo per nessun motivo... davanti mettici un biglietto con scritto "Non toccare!". Vedi come la smetteranno di fare i cretini».

Il giorno seguente, quando gli operai si ripresentarono per continuare il lavoro interrotto (non era dato sapere quale), Francis uscì con la scusa di dover andare al mercato e si rintanò da Irina. Rimasero in assoluto silenzio, fino a quando non giunse un grido che suonava sufficientemente raccapricciante.

Irina fece le scale con tutta calma, aprì la porta con un piglio da John Wayne all'ingresso di un saloon e sventolò, con grazia infinita, un rasoio.

Un muratore si lamentava tenendosi la mano sulla guancia, ma davanti al limpido luccichio della lama si zittì.

«Ora, credo che quella brutta piaga le resterà a vita, a eterno ricordo di cosa significa "non toccare". Se provate ad andare alla polizia, vi taglio la gola... dalle mie parti si usa così».

Richiuse la porta con la fierezza di una zarina, richiuse il rasoio con l'esperienza di un barbiere e si commosse pensando a quanto il Vecchio Roncola sarebbe stato fiero di lei.

Da quel giorno, almeno uno dei muratori cominciò a divertirsi molto meno di prima: l'acido contenuto nell'elegante flacone aveva corroso anche il senso dell'umorismo.

XVII

Perché ci si innamora sempre dei difetti?
BLACK LINK

Irina era una bella donna, benché la giovinezza si fosse trasferita altrove da un bel pezzo.

Aveva i colori dell'Est: capelli color grano e occhi verdi come un lago d'inverno, pelle espressamente creata per le basse temperature, refrattaria al sole, e uno sguardo tagliente. Caratterialmente colpiva per la decisione, l'incazzatura perenne indipendente dalle circostanze esterne, l'assoluta insensibilità ai piccoli fatti della vita, alle sfumature. Un carattere forgiato, così diceva, dalla fame, dall'estrema povertà, dall'aver visto in una sola vita cose che nessuno sopporterebbe diluite in dieci. Nel suo Paese gli uomini bevevano per sopportare il freddo e il dolore, le donne lavoravano sodo e s'incazzavano, pur non disdegnando di farsi un bicchiere durante le pause.

Irina era arrivata in Italia spinta dalla corrente della necessità. Non aveva intenzione di fermarsi a lungo, ma le intenzioni sono solo un bluff della vita.

Quando approdò in città portava una piccola valigia verde, in materiale sintetico, con dentro poche cose, perlopiù commestibili. I soldi che aveva scrupolosamente rispar-miato per il viaggio non avevano lo spessore necessario a suggerirne l'esistenza nella tasca dei pantaloni. Il suo voca-bolario locale si limitava a pochi termini: "grazie", "prego" e "buon giorno", che peraltro esponeva con un accento che suggeriva un'estrema lontananza dalla cortesia.

Le prime notti le trascorse all'aperto e, abituata com'era al gelido letto della casa natia, non si trovò affatto male sulle fredde panchine verdi del parco davanti alla stazione, confu-sa tra i volti – astratti per i passanti – dei tanti clochard.

Per un po' arrotondò il nulla facendo l'accattona davanti alle chiese, dove ebbe modo d'imparare che buona parte dei fedeli dimenticano la pietà e la carità appena fuori dal sagra-to, e di approfondire la conoscenza della lingua memoriz-zando numerose varianti (anche dialettali) del vaffanculo.

Poi finì a lavorare da un fioraio, davanti al cimitero cen-trale. Lì, conobbe il Signor Giò.

Lui elargiva, dietro libera donazione, santini taroccati spacciandoli per benedetti nientemeno che dal papa. Ma questa non era che una parte marginale del suo business: riparava qualsiasi guasto tecnico, meccanico, o di natura mista; approfittava di ogni sciopero che il sindacato mandas-se in terra per improvvisarsi taxista, autista di pullman (che nello specifico trattavasi di un furgone scalcagnato), guardia notturna, manovale, anche gigolò se c'era l'occasione.

Se avesse dovuto riassumere in poche parole la sua attivi-tà, avrebbe detto d'essere un "crumiro indipendente" o un "improvvisatore a richiesta".

Irina lo notò subito davanti al cimitero, mentre sorrideva con sguardo ammaliante a un gruppo di vedove tirate a luci-do per l'occasione. Le vedove, in special modo le sedicenti inconsolabili, erano la specialità del Signor Giò, il suo vero talento. Le individuava in un attimo, dal portamento, dalla posizione delle mani, dall'occhio languido in continuo movimento alla ricerca di nuovi stimoli. Lui le avvicinava con i santini e le portava in paradiso.

Alcune erano belle donne, relativamente benestanti e illimitatamente generose. Per loro, il Signor Giò si sacrificava a diventare il nuovo stimolo. In cambio si accontentava di qualche regalo: un orologio di marca, un abito su misura, un paio di scarpe in morbida pelle, magari una vacanza in Costa Azzurra. Così, questo giovane dagli occhi color cielo e dai capelli corvini, vantava un abbigliamento sempre impeccabile che sembrava confermare che quei santini fossero proprio benedetti dal papa in persona.

Quando, un giorno, lo sguardo dell'uno cadde in quello dell'altra, fu amore e in capo a sei mesi il Signor Giò perse il posto di gigolò e Irina ci guadagnò pure la nuova cittadinanza.

Da qui in poi, le notizie in nostro possesso sono frammentarie e di dubbia fonte. Si sa che ebbero un figlio, ma a nessuno era dato sapere che fine avesse fatto. Alcuni raccontavano che anche il Signor Giò fosse sparito per cinque o sei anni, ma anche su questo fatto si cadeva nel campo delle illazioni.

La versione più accreditata lo vedeva in carcere per rapina con l'aggiunta di qualche lesione a un poliziotto. Il Signor Giò non confermava, né smentiva... del resto che cavolo poteva dire?

Il mutismo, appunto. Qualcuno, tanti anni prima, lo aveva sentito parlare e se ne compiaceva come se avesse visto la Madonna. Certo diceva ben poco, giusto l'essenziale, però gli organi preposti alla comunicazione funzionavano. E poi, che era successo? C'era chi parlava di un incidente, chi di un intervento chirurgico andato storto: una roba per cui mentre i medici erano lì a togliergli le tonsille, avevano ben pensato di fare una capatina verso le corde vocali, tanto per non essere tacciati di tirchieria.

Nella casa, con le sue stravaganze, il Signor Giò restava l'abitante più enigmatico e quindi più interessante. Il suo silenzio si prestava a innumerevoli interpretazioni.

Se lui taceva, il mondo lo riempiva di parole.

Ci si chiedeva da dove venisse, ma non da quale città. Il suo volto, i suoi modi, facevano sospettare un'origine molto lontana nel tempo e nello spazio. Una sorta di extraterrestre piovuto per sbaglio sulla terra millenni addietro, e ancora alla ricerca della sua astronave per tornare a casa. Un alieno con millenni di esperienza e millenni di silenzi.

L'unica cosa certa era che il Signor Giò amava quel pomposo colombo che aveva accudito e coccolato fin da quando l'aveva trovato, piccolo, spaventato, affamato, caduto da un nido o forse da un altro pianeta... anche lui.

E amava Irina, la bellezza dell'Est che parlava per riempire fino all'ultima parola i silenzi del marito. Che parlava per non pensare o meglio, per non ricordare la sua terra, quella campagna a perdita d'occhio che le aveva lasciato un vuoto dentro grande come un continente. Talvolta, mentre era impegnata in qualche lavoro casalingo, si chiedeva perché il destino crudele la tenesse lontana dal suo paese, ma in fondo sapeva che il destino non aveva colpe. C'era qualcosa che amava più delle sue origini, dei campi, del cielo azzurro sopra i covoni di grano: il Signor Giò.

XVIII

In un attimo fu estate. Un'estate torrida come non la si era sentita da decenni, non solo nel quartiere ma anche in centro città. La gente, per strada, o sveniva o aveva le allucinazioni. Pool giurava di aver visto un cammello morto disidratato; a Kandinsky gli sudavano le tele; Robin Hood aveva dovuto portare la moglie al mare e per la prima volta non se ne era lamentato; Mosas meditava di tornarsene in Africa, tanto per trovare un po' di refrigerio; Welches non produceva valuta perché gli si erano seccati gli inchiostri; Arsenio aveva rubato il climatizzatore del Museo Nazionale – così da non scadere in furtarelli da dilettante – ma appena metteva piede fuori casa gli si macchiava la camicia di sudore e questo proprio non lo sopportava; Irina si sentiva come il cammello di Pool; a Ufo sudavano i polpastrelli, e in virtù della sua attività ciò significava un crac finanziario pari a quello di Wall Street nel '29; Ben doveva usare guanti da forno per estrarre i cd dal computer; le pulci erano tornate con la pervicacia dell'araba fenice che risorge dalle sue ceneri, anche se nel caso specifico si trattava di disinfestante. Gli unici a non rivelare segni di cedimento erano i Cloni, i cui arti asiatici non avevano tempo da perdere con il clima perché "mangiare è uno dei quattro scopi della vita... quali siano gli altri tre, nessuno lo ha mai saputo".

Nel tempo d'un battito d'ali di Cristoforo, si arrivò al 27 luglio, una data speciale per la comunità cinese della zona. Con mestizia veniva commemorato il ventesimo anniversario della morte di Lee Yun Fan, più noto come Bruce Lee: per i Cloni un mito indimenticabile, per gli occidentali del quartiere un attore che menava botte con chiassosa enfasi.

Ma in nome dell'affetto per i vicini dagli occhi a mandorla, nessuno rifiutò l'invito a quell'evento, esclusivo quanto un ricevimento a corte.

Mosas disertò adducendo scuse troppo dettagliate per non lasciare spazio a svariate interpretazioni.

«Ho paura che il Signor Carlo Alberto stia poco bene» azzardava Ben.

«Mah, quella donna non si sa come prenderla. A volte è un miele, a volte non le si può parlare. Non che sia scortese, per carità di Dio, ma...» osservò Irina in un testo qui ridotto per esigenze di spazio e per non agevolare cali d'attenzione.

«Magari aveva da fare» proponeva Paolo.

«Magari semplicemente non aveva voglia di venire a questa veglia funebre» sintetizzava Freeda.

«Beh, ma si mangia» concludeva Telemaco, riassumendo il senso della sua presenza.

Il Signor Giò se ne stava seduto nei pressi di uno spigolo del tavolo, vestito in un competo color panna dal taglio retrò ma tuttavia elegante. Ben lo osservava tacitamente, giudicandolo più silenzioso del solito, anche se non si capacitava dell'assurdità del pensiero. Comunque, sensazioni sul

Signor Giò a parte, la ragazza era impegnata a ripassare il discorso che, da lì a poco, l'avrebbe messa al centro dell'attenzione del nutrito gruppo di ospiti che affollava il ristorante dei Cloni.

Intanto, in piedi vicino alla cucina, Arsenio sussurrava a Kandinsky un'interessante proposta di lavoro.

Già da qualche tempo, per l'esattezza dalla riunione di stampo terroristico di Ben, il ladro d'arte meditava di apportare migliorie alla sua già ottima organizzazione del lavoro. Pensava "come ridurre i rischi post-operatori?" (quando elaborava pensieri sulla propria attività preferiva impersonare il ruolo del chirurgo, casomai intercettassero i pensieri)... "perché anche l'intervento più semplice, tipo due adenoidi alla pinacoteca regionale o un alluce valgo al museo d'arte contemporanea – quello con un sistema d'allarme che non installerei manco in un pollaio – può riservare delle sorprese. Tutto va bene, il paziente torna in corsia vispo come un grillo e dopo due giorni ti piove tra capo e collo una setticemia infame e ti ritrovi davanti a un giudice".

«Quindi, ripeto, come ridurre i rischi post-operatori?... Annullando la fase post-operatoria: elementare!»

Da questa "elementare" soluzione era uscita, come la Venere dal mare botticelliano, la proposta che ora Arsenio enunciava al cereo polacco. Si trattava di un lavoro di squadra o meglio, vista la scarsità del personale medico, di coppia.

«Se tu fai una copia esatta delle cistifellee che devo asportare, nessuno si accorgerà di esserne privo, almeno per un po'. Mi spiego?»

«Cos'è "cistifellea"?» Kandinsky era confuso come quando al corso di lingua locale gli avevano ventilato l'esistenza di verbi imperfetti.

«La cistifellea è un Velasquez o, all'occorrenza, un Modigliani, mi segui?»

«Io faccio copia, tu ruba originale, poi metti copia a posto originale. Nessuno vede vuoto, nessuno chiama polizia. Giusto?»

Anche se si esprimeva come Tarzan, il ragazzo risultava pronto di riflessi, e di ciò Arsenio era compiaciuto.

E la serata sarebbe stata perfetta, se solo il dubbio gusto estetico degli organizzatori non avesse reso vacillante la poesia del momento.

Arsenio passava in rassegna una serie di mostruosità che, a suo parere, raramente si potevano ritrovare tutte insieme in uno spazio limitato come quello del ristorante. A parte i lampioncini rossi, schiacciati ai poli come la Terra e ulteriormente sfregiati da continenti di polvere; a parte le tovaglie di carta con ideogramma color oro; a parte i pannelli con scene di vita orientale, inequivocabilmente di plastica, appiccicati alle pareti; a parte i draghi segaligni e i vasi dall'eccessiva ricchezza cromatica; a parte tutto: l'altarino con gigantografia dell'attore specializzato in p-arti marziali, adorno di fiori di carta (ritagliati dalle tovaglie?), bastoncini d'incenso dall'aroma rancido... era un insulto a ogni seppur misera regola del buon gusto. Ma, notava il ladro, nessun altro sembrava manifestare il minimo imbarazzo per l'assenza ingiustificata dell'eleganza.

Ufo faceva sparire il biglietto dei biscotti della fortuna senza aprirli, divertendo immensamente gli incalcolabili bambini dei Cloni.

Pool farneticava di un suo incontro con Bruce Lee in persona che, raccontava con un pizzico di studiata nonchalance, gli aveva insegnato a uccidere utilizzando esclusivamente il mignolo della mano sinistra.

Irina, non badando troppo alla sacralità del momento, si ostinava a chiedere in giro se quello della foto sull'altarino fosse un parente ricco dei Cloni.

Le Lagos Sisters si sistemavano, a minimi intervalli, giarrettiere inesistenti.

Infine, il Signor Giò sembrava più silenzioso del solito, si sorprese a pensare Arsenio.

I tamburelli interruppero discorsi e pensieri. Il Clone più anziano salutò gli ospiti con un inchino non scevro di sciatalgia, fece un breve discorso in mandarino stretto, quindi invitò Ben a raggiungerlo vicino al registratore di cassa.

La ragazza, che per l'occasione indossava una t-shirt, ovviamente nera, con la scritta "L'urlo di Chen", con un gesto plateale si liberò dei suoi appunti per cimentarsi in un più cordiale discorso a braccio. Si schiarì la voce per non tradire un'emozione ugualmente evidente ed iniziò.

«Luglio è un mese bastardo!»

L'incipit era di forte impatto.

«Questo mese si è portato via due persone speciali: Bruce Lee, il "piccolo drago", e Jim Morrison».

I cinesi, e non solo loro, si chiesero chi cavolo era quest'ultimo.

«Io Jim lo conosco come un fratello, mentre di Bruce Lee non sapevo nulla... ma mi sono documentata».

I cinesi si sentirono sollevati.

«Il suo motto era "Nessuna via come via, nessun limite come limite", e questo mi piace... anche molto... e, più di un'autopsia, spiega com'è che sia morto giovane».

I cinesi fissavano con perplessità i piatti maculati da piccoli assaggi.

«Per ricordarlo come si deve, citerò un suo pensiero: "*Svuota la mente. Sii senza forma. Senza limiti, come l'acqua. Se metti dell'acqua in una tazza, l'acqua diviene tazza. Se la metti in una bottiglia, diventa la bottiglia. In una teiera diventa teiera. L'acqua può fluire o spezzare. Sii come acqua, amico mio*"».

Seduta Ben, si alzò il vecchio Clone che, inchinandosi più volte con le mani giunte come in preghiera, si dilungò in un discorso in lingua originale che, data la visibile commozione dei suoi connazionali, doveva presentare brani molto toccanti.

E in molti si fece largo la nostalgia per il Vecchio Roncola, al quale quella cerimonia commemorativa sarebbe piaciuta immensamente.

L'incenso bruciava non meno delle portate della cena e Irina se ne lamentava, mentre Pool raccontava di aver conosciuto personalmente un uomo dalla lingua ignifuga:

«Quello leccava la lava di un vulcano senza fare una piega. Che Dio mi fulmini se dico il falso».

Arsenio rideva di gusto:

«Il giorno che Dio capiterà dalle tue parti, ti ritroverai a fare la sedia elettrica umana».

Pool scrollava le spalle, come per respingere la mancanza di elasticità mentale del ladro.

Il Signor Giò era assorto nei suoi pensieri, quindi materialmente assente. Seguiva la scia di personali considerazioni di vario genere, di alcuni ricordi, della preoccupazione per il colombo che aveva lasciato a casa, perché il volatile mal sopportava i luoghi troppo affollati e il suono dei tamburelli. L'onda del suo frenetico mondo interiore lo aveva portato lontano, su un eremo deserto e immerso nella natura.

Quindi le sue orecchie non percepivano il vociare della gente nel ristorante ma il canto di usignoli, i suoi occhi non vedevano draghi dalle fauci minacciose ma distese d'alberi dal fusto secolare, le sue dita non sfioravano la tovaglia fresca di cartiera, bensì erba tenera e dal profumo inebriante. L'unico pensiero che lo ancorava alla reale dimensione spazio-temporale era comunque fuori da quel locale, perché non gli riusciva di sparire completamente senza soffermarsi su Mosas e Carlo Alberto. Bizzarro! Le uniche persone che vedeva quella sera erano le uniche a essere assenti.

Anche Ben, passata l'emozione del discorso pubblico che a suo giudizio era stato più che soddisfacente, non riusciva a scacciare l'inquietudine per quell'assenza.

Ogni dubbio fu dissipato al ritorno a casa, quando trovarono il passaggio del cancello parzialmente ostruito da un'autoambulanza che sfoggiava tutte le lucine accese. La via sembrava indossare una tuta intermittente, a tratti di un colore azzurro candido, poi repentinamente blu notte.

Per un attimo, ma solo per un attimo, qualcuno pensò di fermarsi a vedere, di dar luogo a quell'avvilente spettacolo che distingue l'uomo dagli animali, la macabra curiosità, la potente forza del sadismo che rende istintiva la necessità di riunire il branco attorno alle disgrazie altrui.

"Un fenomeno strano", pensò Ben dopo aver tirato dritto come se l'autoambulanza non fosse stata lì. "Forse è un modo per sentirsi vivi, per avere la conferma scritta, datata e timbrata, che la malattia non rientra nelle proprie inclinazioni... un assaggio di immortalità. Il mondo straborda di imbecilli".

Sul pianerottolo notò la porta accanto alla sua, spalancata, così, senza pudore, senza riguardo per quell'uomo che al mondo, e forse al suo personale Dio, chiedeva una sola cosa: non essere visto.

Quindi, quando la barella uscì, la casa risultò come addormentata. Solo qualche "straniero" si affacciò alla finestra dei palazzi di fronte, ma la strada era deserta, gli occhi del numero 8 avevano le palpebre abbassate. E di questo Mosas si sentì commossa.

Quella notte, il Signor Giò e Cristoforo si rinchiusero nel capanno e verso le tre furono raggiunti da Ben.

«Crede sia morto?»

Il Signor Giò negò con la testa.

«Ma cosa sarà successo? Non mi sembrava peggiorato negli ultimi giorni, forse era un po' più triste ma non pareva stesse male più del solito».

Il Signor Giò espresse la sua totale ignoranza in merito allargando le braccia.

«Ma morirà, non è vero?»

Il Signor Giò la guardò con occhi che mimavano l'unica risposta possibile: «prima o poi si muore tutti, questa è la vita».

«Sa cosa ha detto Jim Morrison in proposito? "*La vita è una grande avventura dalla quale nessuno è mai uscito vivo*"».

Il Signor Giò non mimò alcun commento e Ben si sdraiò su un mucchio di paglia, dove si addormentò quasi subito.

L'uomo la guardava, maturando sempre più la convinzione che quella ragazza dai capelli gialli era persino più strana di lui. "Ma", pensava, "cos'è strano? Dicono, ciò che esula dalla normalità. Ma se assumiamo il concetto di normalità come termine di paragone per catalogare le varie sottospecie caratteriali del genere umano, ci imbattiamo invariabilmente in tre categorie: i normali, i più normali e gli dei".

Il Signor Giò accarezzava il suo colombo, il cui sguardo a fessura tradiva una stanchezza ormai al limite del sonno, e intanto continuava a dibattersi nella tela ordita dai suoi pensieri.

"I normali sono morti dentro; forse captano ancora qualche segnale, qualche battito vitale, ma la paura di confrontarsi con il giudizio degli altri, anestetizza ogni pulsione. Il 'più normale' è quel tipo di persona che comunemente viene definita strana: esprime sé stessa... ma non completamente. I più normali, apparentemente, risultano sull'orlo della follia ma in realtà sono, appunto, i più normali, perché sono quello che sono. Sono uomini sani, non contaminati dal virus del giudizio, della stima, dell'atavico codice genetico che detta le regole dell'apparenza. Regole inflessibili che una volta spezzate non si possono più riaggiustare. Infine gli dei... oh, gli dei! Un tempo i manicomi ne erano pieni. Ma se il mondo si potesse salvare sarebbero loro a farlo, sarebbero gli eroi della rivoluzione per la libertà della mente. Ma come accade a ogni vero rivoluzionario, la gente li tiene nascosti, li rinchiude tra le sbarre del comune buon senso, li avvelena nel tentativo di trascinarli nel coma vigile-manontroppo della normalità. La gente ne ha paura e per loro ha appositamente coniato un vocabolo in grado di far desistere qualsiasi tentativo di emulazione: pazzi. Ecco qual'è il nome, cognome e indirizzo degli dei..."

«Anche tu, Cristoforo» comunicò tacendo «sei un dio».

Il colombo era ancora sveglio ma ormai del tutto incapace a instaurare un dialogo che non riguardasse tematiche culinarie.

"Tutti gli animali sono dei... per questo l'uomo tende a umiliarli ed eliminarli. Io, invece, al massimo posso presuntuosamente supporre d'essere un 'più normale'... ma talvolta sento l'imbarazzante tentazione di consegnarmi alla normalità perché mi spaventa... Sì, mi spaventa l'identità che già alcuni tendono a fare mia. Pazzia è solo una parola, io lo so, ma ho il terrore di sperimentare quella che chiamano cura. E Ben... Ben è di difficile lettura, è un manifesto di parole in libertà e ci vorrebbe troppo tempo e troppa pazienza per ricostruire frasi dal senso compiuto. E a chi potrebbe interessare intraprendere un lavoro così complesso, pieno di rischi, dal risultato incerto? C'è troppa fretta nel mondo e, inoltre, gli umani sono perlopiù pusillanimi. Lo sono anch'io del resto... col mio isolarmi esitante, col mio eremitaggio circondato da gente. È tutto solo nella mia mente. È tutto solo nella mia mente. Ma poi, è più facile restare soli nel deserto o in una metropoli? Boh, dev'essere la stessa cosa, solo che tra la folla fa più male. Ben? È solo una ragazzina ma è come se in lei abitasse lo spirito secolare di un essere vissuto nel dolore e nella rabbia. Lei è in perenne sfida: contro chi, contro cosa, non lo sapremo mai. Quel che conta è che sembra piegarsi solo a se stessa. Magari la sua vita è pura finzione... ma no, non può essere. Perché in lei il contrasto, il paradosso, l'esasperato bisogno di seguire esclusivamente le proprie leggi, fluiscono naturalmente. Lei sembra non avere argini, non avere dighe, non avere un corso prestabilito dalla natura o dagli uomini. Lei vede ciò che acceca gli altri, sente la voce muta. Se qualcuno si avventurasse nell'impresa di ricostruire il suo puzzle, di applicare le basilari regole della sintassi alle sue parole in libertà, dove si arriverebbe? Quale sarebbe il verdetto finale? Presumibilmente che è pazza, magari meravigliosamente pazza, ma sempre e comunque pazza... Potrebbe essere una dea. Per ora è come una pulce nel deserto che si dibatte tra miliardi di granelli di sabbia, tutti uguali. Tutti orribilmente uguali. È come saltare su una spiaggia: ogni salto fa affondare sempre più giù".

Si fermò a fissare la ragazza che dormiva raggomitolata come un gatto freddoloso.

«E quando arriverà il vento... scomparirai sotto la sabbia, morirai soffocata, o diverrai tu stessa un granello come gli altri».

«Una pulce nel deserto» disse Ben nel sonno.

"Che ti dicevo, Cristoforo? Potrebbe essere una dea" pensò il Signor Giò, posando delicatamente le dita sulle palpebre del volatile.

Cristoforo grugolò mentalmente ed entrambi si addormentarono.

XIX

La morte è l'unica forma di giustizia sociale.
BLACK LINK

Due giorni dopo, tutte le tende furono chiuse per lasciare passare la barella che riaccompagnava a casa Carlo Alberto. Solo Irina non resistette alla tentazione di curiosare dietro un sottile spiraglio della porta, ma l'unica cosa che riuscì a vedere fu il viso stravolto di Mosas, e se ne dispiacque.

Gli altri erano rintanati in casa, trattenuti su sedie e divani dalla prodigiosa forza del rispetto. In fondo, il sentimento comune era di sollievo perché, a rigor di logica, la persona stesa su quella barella non poteva essere morta.

Ben era inquieta e fissava l'interfono con la stessa intensità con cui le ragazze innamorate, che tanto disprezzava, puntano il telefono. E con analogo pudore reputava inopportuno fare lei il primo passo, almeno fino a quando non fosse arrivato il buio a oscurare i suoi gesti.

Infatti, allo scoccare della mezzanotte Ben bussò più volte alla parete e non ricevendo risposta optò per l'interfono.

La voce che le rispose non le piacque. Sì, era quella di Carlo Alberto ma sembrava giungere da un'altra dimensione.

L'imbarazzo della ragazza filtrò in un goffo: «allora, che si dice?»

«Si dice che da ieri mangio attraverso un tubo».

La risposta fu accolta dal raccapriccio, ma si tradusse in un tono energico, quasi allegro.

«Beh, c'è gente nel mondo che non mangia manco con quello».

«Mi fa piacere, mia cara, appurare che lei talvolta riesca a scorgere il lato positivo delle cose. È una bella dote, sa? Non immagina quanto l'invidio... gli unici risvolti positivi che riesco a vedere sono che risparmierò in pastiglie effervescenti per pulire la dentiera e che ora ho un buco in più. Non si sa mai, potrebbe sempre tornare utile».

«E fa male?» chiese Ben giocherellando con una moneta.

«A me no, ma a Mosas l'ammazza».

«Già, non saprà più cosa farsene della collezione di semolini e frullatori che ha raccolto negli ultimi anni».

«Suppongo che anche questo abbia il suo peso» concluse Carlo Alberto con un accenno di stanco sorriso.

Ben percepì quella timida piega sul volto del vicino ma non le bastava. Lei voleva proseguire la nottata con la certezza di aver infuso un po' di serenità a quell'uomo lontano centinaia di galassie.

Allora si giocò una carta che, a caldo, le parve vincente.

«La scorsa notte ho fatto un'estesa ricerca su internet e ora so tutto sulla sua malattia».

«Molto gentile, ma non doveva disturbarsi».

«Si figuri. Ho scoperto due cose interessanti. La prima è che proprio non esiste una cura, da nessuna parte. Non ci sono santi».

«Ah, questa notizia è elettrizzante» commentò Carlo Alberto senza scomporsi.

«Certo! Almeno non deve chiedersi come sarebbe andata se avesse potuto sborsare un mucchio di soldi per curarsi... magari all'estero...»

L'uomo riuscì a trovare una parvenza di logica, e persino un po' di sollievo in quelle parole che all'apparenza scaldavano quanto un igloo.

«Due: è rarissima. E questo mi sembra bello perché, se proprio si deve morire, meglio farlo in maniera originale».

«Concordo».

«Poi c'è un'altra cosa. Praticamente al mondo c'è un solo centro di ricerca che si occupa del suo morbo e allora gli ho mandato una bella cifra... diciamo una cospicua donazione anonima» recitò Ben con orgoglio.

«Ma...»

«Non si preoccupi, non sono soldi miei. Ho prelevato un paio di miliardi da una multinazionale del tabacco... non se ne accorgono nemmeno. Sa, quelli che si arricchiscono con le "tumorine" e questo proprio non mi va giù... e fumo anch'io, quindi... Però dico, se proprio vuoi ammazzare fallo con classe. Un killer professionista: quello sì che si merita tutti i soldi che guadagna. Fa un lavoro pulito, rapido, diretto e soprattutto non meschino. Mi piacciono i killer».

«Non avevo dubbi. Comunque la ringrazio per l'interessamento anche se continuo a pensare che le gioverebbe dedicarsi ad attività più divertenti. Perché di tanto in tanto non esce? È aberrante che una ragazza della sua età stia sempre chiusa in casa a leggere o a rapinare gente che non ha nemmeno il bene di vederla in azione».

«Aberrante è il mondo fuori!» affermò Ben con un piglio rapido e deciso, come se quella breve frase fosse già pronta per uscire da sempre.

«Come fa a saperlo?»

«Qualche volta, di notte esco e le assicuro che lì fuori c'è brutta gente».

«Certo che se va in giro a notte fonda...»

«La gente è sempre la stessa. L'unica differenza è che di giorno ha l'ombra e di notte no. Ma l'ombra non fa la differenza. L'ombra non è l'anima... Comunque, mi raccomando, per un po' cerchi di non morire, io ho bisogno di ancora un po' di tempo».

«Vedrò cosa posso fare».

Carlo Alberto spense l'interfono e dopo anni si ritrovò a piangere. Erano lacrime dolci. Al di là di ogni aspettativa, il nuovo buco aveva portato un senso di pienezza nella sua vita.

XX

Alcuni dicono che la pioggia è brutta,
ma non sanno che permette di girare a testa alta
con il viso coperto dalle lacrime.
JIM MORRISON

La notte del 12 agosto entrò nella storia di via delle Acque Basse con la stessa prepotenza della strage di san Valentino per l'America.

La prima a captare qualcosa di anomalo fu Ben. Verso le tre, Cristoforo gli entrò in casa in picchiata. Lei era impegnata in una conversazione sull'etica di internet con Black Link, l'hacker. Mentre digitava un concetto in inglese, il colombo gli planò sulla tastiera facendo pervenire al ragazzo americano una frase che suonava come un codice fiscale.

Il volatile si muoveva in tondo, emettendo concitati versi gutturali. Ben era perplessa, le risultava insolita la presenza di Cristoforo senza la spalla del Signor Giò.

Anche Mefisto colse l'anomalia, ma vi lesse dei precisi risvolti ludico-culinari: erano anni che desiderava conficcare le zanne nel paffuto uccello. Così, quando Ben notò la pupilla esageratamente dilatata del gatto, pensò che la cosa migliore fosse scacciare Cristoforo e chiudere la finestra.

Il mattino seguente, la causa dell'evento straordinario fu nota a tutti.

Il cemento del cortile era macchiato di rosso e un imperscrutabile Signor Giò fissava immobile le salme feline di Peter, Messalina e di altri quattro girovaghi. E il ventre immobile del suo piccione.

Cristoforo se ne stava rigido con la testa appoggiata di lato e le ali aperte, offrendo lo spettacolo di un soldato colpito al petto.

Nessuno si avvicinava, nessuno osava interferire con il dolore di quell'uomo invecchiato di due decadi in pochi minuti. Lo videro mentre si chinava ad accarezzare il muso dei gatti, mentre si piegava su Cristoforo, mentre gli strappava una piuma, mentre la infilava nel portafogli accanto alla foto di suo padre.

E da quel giorno, ripensando a quella scena, in molti seppero dare un'immagine al dolore.

La casa era triste e rabbiosa.

Tristi erano Mosas, Paolo, Francis e Telemaco. Rabbiosi erano Ben, Irina e Freeda. Carlo Alberto non sapeva ingabbiare in un'emozione precisa il turbamento che provava: la sua passione per il regno animale era sempre stata freddina, ma il Signor Giò... gli risultava insopportabile captare il suo silente dolore.

La casa si chiedeva quando e come, il perché era noto e anche sul chi la lista era ridotta a un paio di nomi.

La sera stessa i cadaveri furono tumulati in giardino, ognuno con la sua lapide provvisoria su cui era scritto a pennarello il nome della vittima e, per quelli non provvisti d'identità bastava un semplice "gatto". Irina diceva che era assurdo mettere una lapide anche agli estranei, ma il Signor Giò pensava che se per gli uomini si erigevano monumenti al milite ignoto, non si capiva perché i gatti dovessero subire un diverso trattamento.

Intanto, Pedro il rosso osservava con attenzione ogni movimento, appollaiato sul ramo più alto del ciliegio: occhi umani su corpo di micio, postura da pantera con coda eccessivamente mobile. Tutti lo guardavano, nessuno ne parlava.

E quando la sera tolse il disturbo per lasciare campo libero alla notte, Ben e Carlo Alberto s'incontrarono negli spazi bianchi, tra le pause silenziose, di alcune poesie d'oltralpe che la ragazza recitava con tono inadatto. C'era furore nella sua voce. Furore misto a intenso tormento, un'arma da sterminio di massa. Roba che poco si adatta al romanticismo francese.

«Che cosa ho fatto?»

L'interrogativo risultava strano all'uditore, suonava estraneo al contesto della lirica, eppure non era stato preceduto da alcuna didascalia.

«Che cosa ho fatto?»

Ecco che tornava il verso anomalo.

«Cara, che succede?»

«È tutta colpa mia, quell'uomo sta soffrendo come se avesse perso un figlio e la colpevole sono io. Ma che cazzo mi hanno messo al posto del cervello? Ora capisco perché sono tanto capace con i computer... è una forma di compensazione alla mia inettitudine nella vita reale».

Carlo Alberto sentì l'angoscia della ragazza appartenergli quanto la sua infermità.

«Forse, se provasse a spiegarmi cosa la sconvolge potrei azzardare un giudizio».

Dall'altra parte della parete si sentiva chiaramente il suono dell'accendino che si prestava a infiammare l'ennesima sigaretta: Ben fumava e a Carlo Alberto quel vizio non piaceva, ma si asteneva dall'esprimere consigli, certo che

Ben fosse sorda a qualsiasi suggerimento d'igiene comporta-mentale.

«Se solo avessi lasciato aperta quella fottuta finestra».

Carlo Alberto non capiva. Così Ben si profuse in una con-citata cronaca della visita notturna del colombo, inclusa una discreta imitazione del grugare di Cristoforo.

«Ma come poteva sapere?» cercò di calmarla Carlo Alberto.

«Ah, palle! Io dovevo immaginare. Che imbecille che sono!»

Il vecchio rimase un attimo in silenzio, poi, quasi tra sé, bisbigliò: «Certo che è strano. Una ragazza senza coscienza, con un senso di colpa grande come una casa e del tutto ingiustificato. Credo che lei debba rielaborare la sua autoa-nalisi... fa acqua da tutte le parti».

Ben parve non sentire e continuò a seguire il personale percorso mentale.

«E pensare che l'altra notte ero così felice...»

«Bene!» esordì Carlo Alberto con sollievo misto a stupore «mi racconti cosa le è successo di bello».

«Le cose belle non succedono, si fanno succedere» dichia-rò con durezza lei «Comunque, ieri sera ho verificato la riu-scita di un lavoro di cui vado particolarmente fiera».

Carlo Alberto si sentì investire da una sorta di vento geli-do. La domanda che gli usciva spontanea era "cos'ha combi-nato?" ma prima di esternarla la tradusse in un convenzio-nale «di cosa si tratta?»

«Ho fatto del geometra Travi un uomo disgustosamente ricco e, al tempo stesso, in imminente odore di aldilà».

Il vento gelido diventò un uragano.

«Si ricorda quella cena per il Vecchio Roncola?»

«Che riposi in pace, almeno lui» pensò ad alta voce Carlo Alberto.

«Bene, quella sera avevamo discusso di un possibile intervento per spaccare il culo al padrone e non si era arrivati a niente».

«L'unica bella notizia della serata».

Ben non fece caso alla caustica affermazione.

«Proprio quando stavo per cadere in paranoia perché non si vedeva un'idea sensata, il Signor Giò mi ha allungato un biglietto. Ricorda?»

«Sì, e mi vengono i brividi».

«Il biglietto suggeriva un'idea che mi parve subito geniale. Sull'impronta di quel progetto ho lavorato al computer per notti intere, e infatti è da un po' che noi due non ci sentiamo... e me ne scuso, ma era per una buona causa...»

«Non so perché, ma le sue "buone cause" mi terrorizzano» disse con sincerità Carlo Alberto.

«No, ascolti, il piano del Signor Giò è veramente geniale! Il primo punto in programma è stato il più complesso, ossia individuare il personaggio più abbiente e feroce nel panorama internazionale. Dopo aver vagliato varie candidature ho deciso di andare sul sicuro e ho raccolto informazioni sul giro della mafia. Così ho trovato, come dire, il mio uomo... il problema è stato ricostruirne i percorsi patrimoniali. Fatto questo, la strada è diventata in discesa: numeri di conto, password, giusto qualche intoppo a scovare prestanomi e robe del genere. Che le pare?»

Il vecchio si prese un po' di tempo per formulare una risposta dignitosa senza cadere in una censura troppo rigida. E rimase turbato dal constatare quanto in lui albergassero costruzioni verbali poco eleganti.

«L'unica cosa che ho capito è che, proprio a essere ottimisti, la sua prossima abitazione sarà in un fondale marino o in un pilone dell'autostrada. Ma è impazzita? Quella è gente che in confronto gli abitanti del nostro quartiere sono dame di san Vincenzo. Di peggio poteva trovare solo la triade cinese, forse».

«Beh, ci avevo pensato ma non volevo mettere nei guai i Cloni, se qualcosa fosse andato storto. Il succo dell'operazione – e mi stupisce che lei non ci sia arrivato – è che ho buttato sul lastrico, per quanto era nelle mie possibilità, uno spietato "padrino" e ho girato il contante sul conto corrente del Travi. L'unico risvolto imprevedibile della faccenda è quanto tempo ci metterà la mafia a risalire al ladro... Ora che mi dice?» concluse con soddisfazione.

Carlo Alberto aveva voglia di piangere a dirotto e tentava di vagliare mentalmente il grado di insanità mentale di Ben e del Signor Giò. Nonostante notevoli sforzi, non riuscì a stilare una classifica definitiva: forse l'uomo, fresco vedovo di colombo, aveva qualche probabilità in più di aggiudicarsi il titolo di pazzo dell'anno... non per meriti speciali, ma per anzianità di servizio. Più in là, Carlo Alberto non sapeva andare; anzi, per la prima volta nella vita, ringraziava il destino che lo aveva privato dell'uso delle gambe, perché se solo avesse potuto li avrebbe presi a calci tutti e due.

Si risolse a tentare di arginare la catastrofe con il dialogo.

«Allora, mia piccola pazza, ora lei si siede davanti al suo bel computer e riporta tutto come era prima... a ognuno i suoi soldi, anzi direi che al mafioso potrebbe aggiungerci qualche interesse, un contentino tanto per placare la belva. Casomai attinga dai risparmi del Travi...»

«Oh, ne ha parecchi. Ho stampato un estratto conto da far girare la testa... e questo prima di versargli i soldi dell'altro».

Per un momento, dall'altra parte del muro, la curiosità stava per annientare il disappunto, ma cedere significava approvare i meccanismi perversi che albergavano nella mente della ragazza.

«La prego, mi ascolti... io di internet e quelle robe lì ci capisco poco ma credo che si possa risalire facilmente al computer da cui è partito lo scherzo... chiamiamolo così».

«Sì, ha ragione. Però, per me, è altrettanto facile inserirmi nel computer degli altri. Se ancora il concetto non le fosse chiaro, le dò un altro indizio... anche il nostro geometra ha un suo pc con connessione alla rete e, per farla breve, sembra proprio che sia stato lui a impossessarsi illegalmente dei beni altrui. Le nuove tecnologie possono essere una grande fregatura... per gli imbranati».

Stremato dall'evidenza tecnologica, Carlo Alberto non seppe controbattere, si limitò ad alzare gli occhi al soffitto e a lasciarsi scappare un sorriso, anche se un po' amaro.

XXI

Riposa il tuo cuore nell'amicizia,
ama la conversazione degli amici saggi.
CONFUCIO

Chi?

«Il padrone, senza dubbio! Quello schifoso detesta noi e le bestie» dichiara Mosas, carezzando con affetto il muso imberbe del camaleonte.

«Ah, io non mi stupirei se invece fossero stati gli operai... a uno di loro ho fatto uno scherzetto che se lo ricorderà finché campa» esordisce Irina, che si lancia in una narrazione prodiga di particolari sulla faccenda dell'acido nel profumo.

Vero è che per una volta tutti seguono con attenzione la sua esposizione dei fatti, e sui volti dei presenti compare un accenno di raccapriccio. E Carlo Alberto si ritrova a rivoluzionare la personale classifica dei pazzi di casa.

Dopo la pausa dettata dalla silenziosa analisi di questo nuovo elemento, si addiviene a verbalizzare i presunti assassini proposti da Mosas e Irina.

Altro punto all'ordine del giorno: perché?

«Non c'è bisogno di scervellarsi per trovare le varie implicazioni psicologiche del caso. Chiunque sia stato, ha compiuto questo disgustoso gesto per inasprire il clima di tensione che si è creato tra noi, le maestranze e il legittimo proprietario dell'edificio» espone con lentezza Telemaco «Quando si è infami ci si affida a mezzucci subdoli. Capite? Non disponendo di qualità morali sostenute dall'orgoglio, vivendo in una dimensione di pusillanime prepotenza, si arriva a colpire i deboli, a utilizzarli come tramite per minare la fermezza, l'invidiabile fermezza dei forti».

Nessuno osa dirlo apertamente, ma tutti si chiedono chi sono "i forti" dell'enunciato. E dopo aver faticato a distogliere lo sguardo da Telemaco, Ben prende la parola.

«Tanto per dirla a chiare lettere: lo stronzo, chiunque sia – e secondo me è il padrone – si è preso la briga di dedicarsi al tiro al piccione per farci un dispetto... scusi Signor Giò, per la brutalità...»

L'uomo non distoglie lo sguardo dalla finestra, ma scuote le spalle come invito a sorvolare la crudezza dell'affermazione.

«Ok» prosegue Ben «e fin qui ci siamo arrivati tutti. Ma quello che proprio non mi fa dormire, se escludiamo le anfetamine, è il "come ha fatto?"... Che gli ha sparato l'abbiamo visto da noi, ma com'è che nonostante le finestre aperte, l'insonnia da calura e tutto il resto, nessuno ha sentito i colpi?»

Come?

«Avrà usato un silenziatore» azzarda Paolo.

«E che è, un cat-killer professionista?» ironizza Ben.

«Non dimentichiamo che li ha centrati tutti al cuore» puntualizza Mosas.

«E questo ci riporta al padrone di casa... lui è geometra!» propone Francis con eccessiva foga.

«Cazzo, il cecchino del goniometro!» Ben è irritata «Questo è arrivato con un fucile di precisione, con silenziatore, e magari pure con mirino a infrarossi, dato che era notte. E tutto 'sto ambaradan per seccare sei gatti e un colombo? Beh, non si può dire che pecchi di negligenza».

«Comunque un fatto è certo» s'inserisce Carlo Alberto da sotto il suo burka casereccio «prendere i gatti può essere stato facile, a quelli basta fargli annusare un pezzo di carne, ma il colombo... centrare al cuore un volatile non è cosa semplice, ci vuole una bella mira e di sicuro non basta un'arma da due soldi».

«Se è costato caro, si esclude automaticamente il padrone» conclude Freeda.

«Se solo qualcuno avesse visto... » sospira Francis.

Il Signor Giò, ascoltati i vari interventi con dolorosa attenzione, indica con fermezza un punto preciso del ciliegio. Si susseguono varie interpretazioni del gesto, ma la prima ad afferrarne il senso è Mosas.

«Certo! Pedro ha visto, altrimenti non si spiegherebbe l'isolamento volontario in cima all'albero, però dubito che potrà dirci qualcosa».

Nella voce della donna non si legge ironia o scetticismo, ma solo una sensata inclinazione alla rassegnazione. In compenso il Signor Giò continua a fissare la palla di pelo rosso tenacemente ancorata a un ramo che supera in altezza le finestre del primo piano.

Guarda Pedro e sorride, come a smentire l'affermazione di Mosas, come a esternare il suo pensiero: "Lui ce lo dirà".

XXII

Uccidere l'amicizia è l'unico crimine da pena di morte.

BLACK LINK

Mosas non ne poteva più.

Da giorni alimentava Pedro con un sistema di corde e carrucole che dal suo balcone arrivavano fino alla momentanea sistemazione del gatto: una pregevole opera del Signor Giò. Avrebbero potuto tirarlo giù, ma era pacifico che se non voleva scendere doveva avere le sue buone ragioni. Il dramma era che, durante il tragitto, parte del cibo e dell'acqua finivano in cortile e Mosas, con la sua inclinazione alla pulizia, doveva scendere a dare una lavata almeno quattro volte al giorno.

Inoltre, Carlo Alberto era diventato estremamente nervoso, il che, aggiunto alla malattia, rendeva estremamente difficoltoso il lavoro di badante. La povera donna trascorreva il tempo a tritare, "carrucolare", pulire, calmare Carlo Alberto, controllare lo stato mentale di Ben e del Signor Giò, nonché fare un voodoo al padrone di casa.

Intanto – causa estate, ferie, preferie, postferie – i lavori erano fermi, anche se l'aspetto dell'edificio lasciava supporre tutt'altro: un camion indugiava da settimane davanti al portoncino d'ingresso. Sopra erano posizionati, con indistricabile disordine, picconi, mattoni, piastrelle e anche un marchingegno il cui utilizzo si prestava a varie interpretazioni. Solo il Signor Giò, dopo lunga e attenta osservazione, pareva averne colto l'intrinseca finalità. Per tutti gli altri restava un mistero destinato a non risolversi dato che, era opinione comune, nessuno avrebbe avuto il bene di vedere l'aggeggio in azione.

Le giornate sembravano non finire mai, dedicarsi a qualsiasi attività risultava oltremodo stancante e inutile. E non era solo colpa del caldo-umido. La volontà era fiaccata da uno stato d'inedia nel quale un buon medico avrebbe letto il chiaro sintomo di una depressione collettiva.

L'ascesa di Cristoforo e di sei gatti al cielo, aggiunta a quella di Pedro sul ciliegio, si sarebbe fatta sentire ancora a lungo.

Il Signor Giò se ne stava rintanato nel capanno. Ne usciva raramente, perlopiù di notte, quando si arrampicava sull'albero per tenere compagnia a Pedro. Il suo sguardo sembrava vuoto e benché i precedenti non fossero entusiasmanti, gli inquilini lo descrivevano con un unico aggettivo: muto. Era come se fino a poco tempo prima avesse intrattenuto ampie conversazioni e di colpo la voce se ne fosse andata.

«Prima parlava con gli occhi» aveva dedotto Mosas durante uno scambio di idee con Carlo Alberto.

Quest'ultimo giurava di sentirsi bene, tentando di nascondere l'inquietudine dettata dalla convinzione che Ben si fosse messa in guai seri. I rumori lo facevano sobbalzare e – benché detestasse impicciarsi degli affari altrui – trascorreva ore alla finestra a osservare meglio che poteva il vai e vieni nel cortile, aspettandosi di vedere apparire elementi degni di stare sul set de *Il padrino*.

Ben, invece, era stranamente calma. Passava il tempo leggendo e accarezzando Mefisto, il cui unico occhio tradiva stupore per quella innaturale profusione d'affetto. Ben stava sulla riva del fiume, in attesa del cadavere del nemico... quello che – i Cloni l'avevano promesso! – prima o poi sarebbe passato.

Se questo atteggiamento preoccupava Mosas, Ben non se ne curava, anzi non badava più ad alcun abitante della casa da quando, giorni prima, si era aperta la prima edizione delle liti.

Gli umori, a forza di simboliche picconate, erano crollati e tentavano di rialzarsi aggrappandosi alle caviglie altrui.

Ben osservava con distacco quei birilli abbattuti da una palla da bowling grande esattamente quanto l'edificio in cui vivevano. Da qualche tomba nascosta, un archeologo travestito da padrone di casa aveva riesumato antichi episodi, piccoli reperti di ostilità. L'aria calda e irrespirabile aveva fatto il resto: da miserrimi battibecchi era nato il gigante Rancore.

Nelle ore più torride, quando il resto del quartiere cadeva nel coma ristoratore della pennichella, all'ombra del ciliegio si consumava lo spettacolo dell'intolleranza. Gli insulti volavano ad altezza d'uomo, in un veloce botta e risposta che ricordava una partita a ping pong, solo che lì la pallina pareva non cadere mai.

Irina e Francis non si sopportavano più, lei gli ricordava un'omosessualità stravolta in abominio; lui, per non andare fuori tema, le attestava un curriculum da meretrice. Freeda bestemmiava, dalla soffitta fino alle fondamenta, minacciando di ripescare nel proprio Dna il patrimonio bombarolo del nonno se i due "invasori" (Paolo e Francis) non avessero lasciato il suo alloggio. Telemaco, dimentico degli insegnamenti della scuola stoica, se la prendeva col Signor Giò, a suo giudizio colpevole della recrudescenza sifonattera. Mosas finì con l'avercela con Carlo Alberto: lui la chiamava negra e lei lo mandava a fare in culo in nigeriano. Il Signor Giò non faceva più alcun cenno: occhi, mani e testa restavano immobili al passaggio degli altri e questo suonava più offensivo di un insulto. Il vicinato, a dispetto della definizione, si era idealmente allontanato di qualche continente.

I Cloni, silenziosi per natura e per maoismo, aborrivano tutto quel casino; Arsenio temeva di venir trascinato in quelle dispute che gli suonavano per nulla artistiche; le Lagos Sisters erano impressionate dalla veemenza orale della loro conterranea; Kandinsky detestava i litigi, gli inducevano un lieve tremore alle mani e questo per il suo lavoro equivaleva a una grave infermità; Pool ogni tanto infilava la testa in cortile, poi riferiva di sangue, pugni e cadaveri seppelliti in giardino; Pedro guardava dall'alto, sempre più disgustato dalla natura umana.

Ben se n'era chiamata fuori, rimuoveva con mani da neurochirurgo le urla e la rabbia di cui era intrisa l'aria: si limitava a non respirare.

XXIII

A volte non basta una vita per cancellare un attimo,
ma basta un attimo per cancellare una vita.
JIM MORRISON

Il geometra Travi era in uno stato di confusione temporale. Dall'incursione notturna al capanno, la sua mente stentava ad adattarsi alle regole del calendario e aveva preso a datare le giornate da quell'evento.

Eccolo nel cortile, dopo lunga assenza, il giorno 278 d.C. (dove d.C. non stava per "dopo Cristo", ma per "dopo Capanno").

Di nuovo lì, con le robuste gambe piantate in terra, fisse come il tronco del ciliegio. Le finestre mute e cieche. "Caso strano", pensa. "Che qualcuno lavori?", si chiede. Ma subito si rende conto dell'assurdità dell'interrogativo. "Allora dove sono?": domanda pertinente.

Erano tutti in casa a macinare astio, tranne Mosas che per stemperare la tensione era andata ad acquistare un set di ansiolitici da aggiungere subdolamente al beverone di Carlo Alberto.

Mentre camminava in direzione della farmacia, ripensava agli eventi dell'ultimo periodo e si persuadeva che l'unica soluzione per respingere l'ondata di psicosi collettiva della quale, lo ammetteva, era vittima lei stessa, fosse sedare tutti con una buona cena sociale a base di benzodiazepine sciolte nel vino. Nonostante la pratica soluzione si sentiva avvilita e non sopportava l'idea che un uomo dall'inesistente carisma (il Travi) fosse riuscito a separare la famiglia perfetta di via delle Acque Basse numero 8.

Poi pensava a Ben, ormai quasi un'impenetrabile estranea. La disegnava mentalmente con i suoi capelli gialli ribelli, gli occhi che sapevano convertirsi in ghiaccio. La fermò nel ritratto mentale, mentre cibava maternamente le piante carnivore o raccoglieva anni di galera, come punti dei biscotti, davanti al suo computer.

Nella casa, intanto, risuona un urlo straziante. Tutti si affacciano alla finestra. La faccia del geometra è completamente vestita da una pelliccia rossa: Pedro, finalmente, è sceso dal ciliegio per pettinare la testa calva del padrone.

Nessuno se ne preoccupa perché il felino pare cavarsela egregiamente da solo. Soltanto il Signor Giò indugia ancora un po' a fissare la scena: lo sapeva che alla fine Pedro avrebbe parlato.

Dopo qualche minuto risuona un altro grido. Questa volta il colombicida chiede aiuto, ma è roba di pochi secondi. Nessuno si preoccupa di quella voce straziata, tranne Carlo Alberto che con sforzo riesce a sollevarsi di pochi centimetri per vedere meglio.

Poi il silenzio.

Al ritorno, Mosas si ferma nel cortile e lascia cadere la borsa. È inorridita nell'appurare quanto i suoi sogni a occhi aperti fossero tanto simili alla scena che le si presenta davanti. Per un attimo prova una vertigine e la tentazione di avvicinarsi al corpo poco distante, ma immediatamente dopo si lancia sulle scale a bussare a ogni porta.

Tutti fuori, ad ammirare quell'opera dai tratti ripugnanti.

La morte si era ripresentata in cortile con effetto meno elegante: la stella rossa sul petto di Cristoforo il colombo aveva lasciato un ricordo più apprezzabile dal punto di vista estetico.

La testa spappolata del geometra e tutto quel sangue sparso senza disegno e grazia, evocava solo disgusto.

Su questo rifletteva Ben. E pensava: "perché la morte s'identifica col nero? La morte copre tutta la gamma cromatica. Può essere dolce come il rosa, anonima come il bianco, impetuosa come il rosso, tenera come un verde pastello, libera come l'azzurro del mare. Se solo il mondo riuscisse a scorgere le sfumature, non avrebbe più tanta paura della morte. La morte è colore; è la vita a essere monocroma... grigia".

Dopo la breve considerazione, la ragazza si china sulla palese arma del delitto: un piccone sporco di sangue e di qualcosa di solido.

«Cazzo!» esclama «Qui c'è un pezzo di cervello. Da non crederci, ci aveva qualcosa in quella testa. Da non crederci!»

«Ma è morto?» chiede Francis, prossimo a svenire.

Freeda allunga un dito sotto le narici dell'uomo a terra.

«Forse respira ancora» sentenzia con voce monocorde «ma solo poco poco, quindi non vale la pena perderci tempo».

Il Signor Giò osserva, una ad una, le finestre del circondario per appurare che, come impone la legge del quartiere, non ci siano testimoni.

Paolo si agita. Irina pensa che forse si dovrebbe chiamare la polizia ma non riesce ad aprire bocca... e questo la dice lunga su quanto sia sconvolta.

«Ora che facciamo?» chiede Telemaco.

Il silenzio è imbarazzante. I presenti si guardano l'un l'altro e tra i taciti pensieri sembra circolare un'impacciata profusione di scuse.

E Ben pensa: "basta così poco per far tornare l'armonia".

«Ben, vai a chiamare i Cloni» ordina Mosas «Telemaco, Paolo e Signor Giò, portate il cadavere o il moribondo, o quel che è, giù in cantina. Irina, mi dia una mano a pulire questo schifo».

«Ho un prodotto che fa miracoli» afferma Francis già perfettamente ripresosi dal capogiro «Vi aiuto anch'io, vado a prendere lo spazzolone e il detersivo».

Ognuno si prodiga a partecipare ai lavori con l'analogo entusiasmo che provoca l'organizzazione di un pockerino.

I Cloni, appena giunti, scendono in cantina con Mosas, e in poche ore del geometra Travi non resta alcuna traccia, come se non fosse mai nato.

«Minios, c'è pappa buona» dice Mosas subito dopo il lavoro sotterraneo.

Così, quella sera, Pedro, Mefisto e una marea di randagi giunti da ogni angolo del quartiere, si sbafarono ciò che di buono aveva il padrone di casa.

XXIV

La gente che spara per ristabilire l'ordine, mi confonde.

BLACK LINK

Dopo un breve periodo di stupore, roba di pochi minuti, la Signora Travi s'immerse anima e corpo in una prova di recitazione degna di un Oscar: felice, immensamente felice nel profondo, affranta in superficie.

Lontani parenti e sedicenti amici si davano il cambio per consolarla e rassicurarla, non immaginando che ogni vago riferimento a una positiva conclusione del caso, la gettava nella più cupa disperazione. Quando si sentiva dire "vedrai che tornerà", "vedrai che non gli è accaduto nulla di terribile", si esibiva in pianti tanto sinceri da straziare il cuore.

Se poi le veniva sottoposta la possibilità di un'amnesia che teneva il marito momentaneamente lontano, chissà dove, («capita spesso», infieriva sua sorella Gladis), allora si arrivava ai singhiozzi.

Ma la cosa che le pesava maggiormente era parlare con la polizia. Provava la netta sensazione di non riuscire a reggere la commedia, o meglio la tragedia, di fronte a un uomo in divisa.

Temeva il momento in cui le avrebbero riferito di aver trovato il cadavere del marito. Non sapeva prevedere la sua reazione davanti a un annuncio di tale portata, avrebbe potuto anche urlare un «olè» che sarebbe parso quantomeno fuori luogo.

Non era la sola ad avvertire un'intollerabile inquietudine davanti ai fieri rappresentanti delle forze dell'ordine. In via delle Acque Basse numero 8, e nei palazzi limitrofi, si respirava aria di panico. Da quando era stata segnalata la sparizione del geometra, la casa si era trasformata in una sede distaccata della questura... "e poi dicono che in questi casi la polizia non si muove!", pensava il circondario.

C'erano poliziotti in borghese, in divisa, in malriuscito incognito, ce n'erano persino alcuni con una sigla strana sul giubbotto (Pool ipotizzava che fossero dell'antimafia ma nessuno gli credeva, tranne Ben e Carlo Alberto), insomma se ne vedevano di tutti i tipi e gradi. E più i giorni passavano e più la casa si popolava di ospiti indesiderati, e più gli animi degli inquilini rivelavano segni di turbamento.

Ben aveva fatto sparire floppy disk, cd-rom, computer, scatole varie dal contenuto ignoto e si sentiva tremendamente in lutto per la perdita repentina delle sue schede madri; a Telemaco e Freeda si erano volatilizzati gli amici con barba; Paolo usciva nottetempo con sguardo vigile, mentre Francis era certo di sentire un infarto da stress in pericoloso avvicinamento; Mosas dormiva poco, scattava a ogni rumore e prevedeva che i nervi le avrebbero retto ancora per pochi giorni; Carlo Alberto non sopportava l'aria di ipocrita pietà con cui gli agenti lo fissavano e, soprattutto, senza il suo lenzuolo calato in testa si sentiva nudo; Irina reagiva parlando anche da sola e lamentandosi per questioni di privacy violata; solo il Signor Giò manteneva inalterato il contegno di sempre: interrogato dagli inquirenti rispondeva con cenni del capo che prontamente la moglie decodificava mettendoci tanto del suo. Un movimento della testa da sinistra a destra del marito, veniva tradotto in: «Sono settimane che non vedo il geometra, l'ultima volta era giugno, quando è passato evidentemente per sospendere i lavori, così ci ha lasciato un cumulo di macerie in cortile e infiltrazioni d'acqua che sembra di stare alle cascate del Niagara. L'alloggio dei ragazzi qui di fianco è senza luce, senza riscaldamento e con un buco nel pavimento che, se non ci si sta attenti, si finisce in Giappone. Da noi hanno tolto finestre e porte... che è una vergogna. Anzi, se vedete la moglie di quell'imbecille ditele che se non ci mette una pezza gli piantiamo un casino. Mio marito dice che è talmente incazzato che augura al padrone di essere morto perché se si fa rivedere gli infilza le palle e se le mette nel vermut al posto dell'oliva...»

I vicini tenevano d'occhio tutti i movimenti e appena vedevano allontanarsi i poliziotti s'inoltravano nel cortile offrendo, ognuno a modo suo, un sostegno psicologico, oltre a consigli da esperti su come destreggiarsi con dignitosa eleganza durante gli interrogatori più brutali.

Mancava Arsenio che, visto il clima, aveva deciso di concedersi una vacanza il più lontano possibile. Anche le Lagos Sisters erano adeguatamente latitanti ma non mancavano di far pervenire messaggi affettuosi tradotti in couscous. I Cloni, a chiusura dei ristoranti, portavano perle di saggezza popolare, e ai lamenti della Signora Irina sulla prepotenza degli umani in divisa, l'anziano del gruppo rispondeva con antichi aforismi quali "un buon metallo non si fa chiodo, un buon uomo non si fa soldato".

Com'era prevedibile, le indagini sulla scomparsa del geometra avevano aperto i cassetti di un archivio scottante. In tutta la casa non c'era un alloggio mancante di fedina penale sporca. Almeno un componente di quelle specie di nuclei familiari si era macchiato di reati più o meno gravi, dalla ricettazione all'omicidio.

Poi c'era Ben con i suoi diciassette anni e senza una famiglia. Da quanto tempo viveva sola? Qualcuno forse la stava cercando? Alle centrale s'impegnarono nella revisione di polverose denunce per sparizione, ma tutto quello che trovarono sulla ragazza fu una segnalazione per sospetta pirateria informatica.

Presto la tragicità dell'evidenza si manifestò agli inquilini: la casa era diventata ufficialmente il luogo del delitto, alla faccia del cadavere mancante e del discreto sangue freddo tenuto dai presenti. Ma visto che non c'era verso di sviare i sospetti altrove, gli abitanti di via delle Acque Basse 8 iniziarono a spianarsi la strada per l'infermità mentale. D'altronde si trattava solo di lavorare un po' sulle sfumature.

Per giorni e giorni la polizia scavò in ogni angolo del cortile, trovandovi ovunque parti di radici del ciliegio che urlavano vendetta. Si soffermarono a lungo a controllare un capanno inspiegabilmente vuoto chiedendosi, tra l'altro, a cosa servisse. Poi controllarono le cantine, facendosi largo a stento tra cumuli di mobili e ciarpame giunto all'ultima tappa del tour di riciclaggio nei cinque alloggi. Intanto si avvicinavano pericolosamente agli alloggi, invitati dalla carenza di porte e, in alcuni casi, anche di pareti.

Quindi, scavarono, fecero foto, raccolsero zolle di terra indossando ufficiali guanti di lattice, entrarono negli alloggi, guardarono ovunque, portarono via gli attrezzi dei muratori...

«Provvedimenti» dicevano «che fanno parte della prassi» senza specificare quale.

Comunque, dopo un po' si fa l'abitudine a tutto e pure i poliziotti divennero parte della famiglia: quei parenti che ti pesa vedere anche solo per Natale.

L'unica cosa positiva fu che riuscirono a distruggere il cortile e il giardino senza troppo clamore. Parlavano poco tra di loro, e anche quando lo facevano usavano un volume da confessionale, guardandosi attorno con sospetto, come alla ricerca di un cecchino fetente. Ogni tanto, quelli con i guanti in lattice chiamavano i colleghi, così formavano un bel cerchio e armeggiavano con pinzette e sacchetti trasparenti. Agli esterni non era dato vedere se i "reperti" erano roba seria o pezzi da aggiungere alla collezione del nipote entomologo del maresciallo.

Irina era devastata dalla curiosità e, facendo prendere aria ai pensieri, talvolta si avvicinava per chiedere cosa diavolo avessero trovato.

«Signora, non la riguarda» rispondevano con forzata cortesia gli interrogati.

«Non mi riguarda: un cazzo!» protestava lei «Io perdo di tutto. Giusto il mese scorso, proprio lì, mi è caduto un orecchino e se permette quello mi riguarda eccome».

«Va bene, se troveremo un orecchino le faremo sapere».

«Ah, "le faremo sapere", voi dite sempre così, poi alla fine, chissà come, sparisce tutto...»

Risultati più soddisfacenti li ottenne Pedro che, con flemma felina, si univa ai conciliaboli investigativi senza destare troppi sospetti nelle forze dell'ordine. Il lavoro che attirava maggiormente la sua attenzione era quello eseguito dagli uomini della scientifica. Spesso sembrava persino volersi unire agli scavi, ma il più delle volte si preparava semplicemente a svuotare l'intestino.

XXV

La solitudine è ascoltare il vento
e non poterlo raccontare a nessuno.
JIM MORRISON

Ben continuava a vivere nel suo isolamento. Ogni tanto Carlo Alberto bussava alla sua parete, ma lei non rispondeva. Ogni tanto Mosas si affacciava alla sua porta chiedendole se aveva bisogno di qualcosa, ma lei non l'ascoltava.

Se ne restava seduta sulla poltrona a guardare fuori dalla finestra, con Mefisto accoccolato sulle sue gambe inattive. Mangiava poco ed era sopraffatta dal tedio. Soprattutto si sentiva sola senza i suoi computer che Ufo aveva abilmente fatto sparire nello spazio di cinque minuti.

L'unico sollievo le derivava dal constatare che le liti tra vicini erano terminate, che la paura aveva ridimensionato l'astio... Astio che comunque c'era stato, e lei proprio non riusciva a sopportarlo.

Mosas non si dava pace.

«È stata la ragazza ad ammazzare il padrone?» chiedeva con intervalli pressoché regolari a Carlo Alberto.

Lui prima rispondeva di no, poi aggiungeva che non aveva visto nulla di rilevante ai fini delle indagini.

«Allora come fa a sapere che non è stata lei?»

«Perché lo so».

La donna s'inalberava, anche perché nutriva la ferma certezza che il suo coinquilino avesse visto tutto.

«Allora chi è stato?»

«E che ne so io?» rispondeva lui.

«Ma se sa che non è stata Ben, vuol dire che ha visto o sentito qualcosa».

«No».

«Allora come fa a sapere che non è stata lei?»

«Perché lo so».

Andavano avanti per ore.

Nel frattempo gli interrogatori della polizia erano diventati ufficiali e pressanti. A occuparsene era un ispettore – tal Caniggia – dallo sguardo stanco che, con una pipa in bocca, avrebbe egregiamente interpretato il ruolo di Maigret.

Si trascinava da un piano all'altro, impressionato dalla devastazione che regnava in ogni alloggio e dopo ogni colloquio trovava nuove fonti d'ispirazione per la risoluzione del caso. Troppe. Se solo avesse accettato una soluzione romanzesca avrebbe optato per un finale all'Agatha Christie: *Assassinio sull'Orient Express*, dove ogni protagonista ha partecipato all'omicidio.

Ma qui si sentiva di escludere almeno uno dei personaggi, l'uomo sulla sedia a rotelle che, a rigor di logica, non avrebbe avuto modo di scendere in cortile, prendere un piccone, alzarsi in piedi per colpire la vittima sul cranio. Per tutti gli altri c'erano movente (in primis, quello schifo di casa), opportunità e quant'altro servisse.

Per un momento pensò persino che non erano da escludersi interventi esterni. L'idea lo abbandonò quando si sentì un po' imbecille chiedendo alla ragazza con borchie in faccia e capelli gialli se aveva notato strani individui aggirarsi nei paraggi.

Comunque, il Travi era stato ucciso in quel cortile, lo attestava il sangue e il materiale organico trovato su una ruota del camion parcheggiato davanti al portone d'ingresso.

Quindi: la vittima era morta in quel cortile, dove qualcuno si era impegnato a fare sparire il cadavere e quasi ogni traccia dell'accaduto. Era matematicamente impossibile che nessuno avesse visto o sentito qualcosa.

La svolta giunse con l'esito di accertamenti sulla vittima. Il suo conto in banca aveva segnato un'impennata inverosimile giusto poco tempo prima della sparizione e, guarda caso, risultava evidente un collegamento con una delle famiglie mafiose più potenti. Il tutto era avvenuto per via telematica.

L'investigatore era pigro ma non stupido e non ebbe difficoltà a leggere in quella notizia un piano programmato per distogliere l'attenzione sui tipi strani che vegetavano in quella casa.

Soprattutto su uno degli inquilini in particolare: la ragazza con le borchie in faccia e i capelli gialli.

Lei già vantava una segnalazione per pirateria informatica. Caniggia aveva parlato con i genitori della diciassettenne, i quali, dopo aver negato qualsiasi responsabilità nei riguardi di una figlia che non era più tale da tempo, si erano dilungati in una dettagliata descrizione del comportamento sociopatico innato nella sospetta.

La interrogò più volte, lei sembrava apatica e persino infastidita dal clamore scatenato da "un semplice omicidio". Parlava del Travi con assoluta indifferenza e si era persino concessa di apostrofarlo con una definizione bizzarra: "uno stronzo, è bastato tirare lo sciacquone per farlo sparire".

«Che l'abbiano buttato giù dal water?» gli chiese un subalterno, arrossendo quando notò l'espressione di biasimo del superiore.

D'altra parte, l'ispettore si trovava con un presunto colpevole e tutto il resto in regola, peccato mancasse un cadavere più consistente di un microscopico pezzetto di cervello spiaccicato su un copertone.

Ma a quello ci avrebbe pensato dopo, ora era d'obbligo procedere a un arresto, anche solo in via cautelare.

XXVI

Ecco come crolla il grande monte, il grande albero viene abbattu-
to, e il saggio se ne va come una pianta sfiorita.

CONFUCIO

Il 22 settembre, alcuni poliziotti bussarono alla porta di Ben.

La voce che udirono da dentro diceva «sono morta» ma loro, diffidenti per deformazione professionale, non le credettero.

Dopo aver ritentato con un cortese scampanellio, girarono il pomello ed entrarono. La ragazza guardava fuori e bisbigliava qualcosa all'orecchio di Mefisto, sembrava più serena del solito, anche se gli occhi rivelavano una luminosità sprezzante.

Si alzò con lentezza e allungò i polsi verso il militare con le manette pronte per l'uso. I polsi di Ben erano minuti e bianchi come quelli di una statua in marmo, erano fermi, non contratti, mentre le splendide mani con dita lunghissime parevano senza vita, molli, rivolte verso il pavimento.

Quando uscirono furono bloccati sul pianerottolo da un uomo in sedia a rotelle. Ben alzò lo sguardo e vide un viso gentile, con occhi di un verde dolce e labbra, piegate innaturalmente dalla malattia, che articolavano a ripetizione la frase «non è stata lei».

E in pochi secondi, erano tutti lì: Telemaco con il gatto nel maglione, Freeda che diceva «tranquilla, adesso ti troviamo un avvocato con i controcoglioni», Irina che cercava la rissa con i poliziotti e si agitava nel modo abituale, Paolo e Francis che si tenevano per mano e la rassicuravano con «non ti preoccupare, a Mefisto ci pensiamo noi».

Mosas, dietro tutti, che lacrimava fissandola con un misto di dolcezza e severità.

Quando i giovani in divisa riuscirono a farsi largo, scesero le scale con dietro la processione degli inquilini.

In cortile s'imbatterono in un uomo che teneva in braccio un gatto rosso. Si avvicinò con calma e con altrettanta calma disse «SONO STATO IO, io ho ucciso Bernardo Travi».

Tutti mormorarono un «parla!» tanto meravigliato che ai poliziotti parve di essere finiti a Lourdes.

Irina si mise a urlare, minacciando di fare una strage se qualcuno provava a portargli via il marito miracolato. Gli agenti risolsero di chiamare l'ispettore.

«Qui c'è una confessione» disse il più giovane attendendo silenzioso.

«E che fa, cammina quella confessione?» rispose Caniggia, alterato da quella affermazione buttata lì senza troppa convinzione, senza ulteriori spiegazioni.

«No, ma c'è un uomo che dice che non è stata la ragazza...»

Di nuovo una pausa. Caniggia ora fremeva di curiosità.

«È possibile sapere chi è quell'uomo o pensi di non essere stato addestrato sufficientemente per chiedere un cognome?»

Il giovane si volse verso il Signor Giò e gli chiese di declinare le sue generalità, che prontamente girò all'ispettore.

«Bene! Lasciate la ragazza e portate l'uomo in centrale» disse il Caniggia, anche se poco convinto.

I bianchi polsi di Ben furono liberi, a discapito di quelli del Signor Giò. Si guardarono a lungo, l'ex muto e quella che lui aveva definito "una pulce nel deserto".

Poi il reo confesso fu accompagnato fuori, alla volante.

Mentre saliva, da lontano, un gruppo di cinesi che sembravano tutti uguali incrociavano le mani al petto inchinandosi con lentezza; e gente alla finestra salutava con un rapido movimento delle dita.

Il saggio se ne andava.

XXVII

La nostra gloria più grande non sta nel non cadere mai,
ma nel risollevarsi sempre dopo una caduta.
CONFUCIO

Mia madre mi ha insegnato che non si deve parlare con gli estranei. Quindi, sistematicamente, io trascorro il tempo libero a dialogare con persone mai viste prima.

È più di un hobby, è una sorta di psicanalisi di gruppo gratis, dove si può essere sé stessi senza l'assillo della diagnosi finale.

Io amo parlare con gli estranei, in particolare con i bambini. Quello che pochi giorni addietro stava seduto accanto a me aveva un viso da angelo caduto, lo sguardo luciferino di chi è nato nella zona in cui l'ho incontrato.

E lo so, la gente penserebbe che questa non è una storia da raccontare a un bambino... ma è accaduto. Ero in auto e per caso – ammesso che il caso esista – mi sono ritrovata davanti a quella casa, parecchio lontano da dove vivo attualmente. Così mi sono fermata, mi sono seduta sul marciapiede e poco dopo è arrivato quel diavoletto biondo. Che potevo fare? Ho iniziato a raccontare.

Non mi sono chiesta se per lui potesse essere una storia troppo forte, se il lessico non fosse adatto alla sua età. L'ho fatto e basta, con la convinzione che l'estraneo di turno fosse in grado di capire.

Capire che la favola che noi chiamiamo vita non è abitata da prodi eroi e da folletti. Nel mondo reale la magia è essere vivi e spesso ci si deve scontrare con gli spettri della brutalità e del dolore. Nessun principe ci può salvare da questo. Forse è un bene saperlo il più presto possibile.

Comunque, alla fine della fiaba metropolitana, lui è rimasto a fissarmi con occhi da gufo.

«Ma è successo veramente? Proprio in questa casa? Perché i vetri sono rotti? Perché c'è scritto che proprio bisogna stare lontani? Perché qui non ci vive più nessuno? Perché conosci questa storia?»

I bambini hanno la forza della saggezza, sanno che la domanda giusta è sempre "Perché?", e non chi, né come, né dove, né quando.

È "il perché" a dare il senso della vita.

Io, intanto, guardavo il cancello divelto e le transenne che cingevano i muri.

Un passante si è fermato vicino a noi e ci ha detto che una settimana dopo sarebbero venuti degli uomini a demolire quello che restava di via delle Acque Basse numero 8.

*

Ci sono tornata, allo scadere del sesto giorno, dopo quella prima visita. Questa volta ero sola e un po' imbarazzata.

Non so se il disagio che ho provato fosse dovuto all'abbigliamento, troppo elegante per l'occasione, o al tornare in una zona e in una vita che non sentivo più mia.

Comunque ho superato le transenne e i cartelli che vietavano l'ingresso. Mi sono fermata nel cortile, proprio sotto al ciliegio che in quel momento era carico di fiori, tanto da sembrare coperto di neve. C'era ancora il capanno, quello che aveva tanto turbato il geometra Travi. Buffo.

Buffo, ripensare a quanto centinaia di piccoli animali oltraggiati da esperimenti di laboratorio, potessero impressionare un'anima vacante. Erano solo vittime, perlopiù ratti, cavie e conigli. Qualcuno senza occhi, qualcuno con la pelle ustionata, tutti così spaventati: questo era il lavoro che dava il pane all'anima di chi viveva in via delle Acque Basse numero 8. Di notte, i volontari di turno partivano con la determinazione di militanti del corpo di liberazione. Si forzavano porte o finestre, si minacciava qualche guardiano, si metteva fuori uso il sistema d'allarme.

Gli schiavi della società moderna venivano liberati e portati nel capanno, dove il Signor Giò si prendeva cura di loro.

Non si guadagnavano soldi, in compenso ci si sentiva da dio.

Ho guardato le finestre dai vetri ormai inesistenti. Ero come incantata e d'improvviso li ho rivisti tutti.

Le cinque finestre sul cortile erano sbalordite.

La prima in basso a destra presentava un uomo con un piccione sulla spalla, sguardo triste e un ciuffo di capelli bianchi sulla fronte. Accanto a lui, praticamente sull'altra spalla, una donna nervosa ed energica, trascinata a Ovest dal vento dei Balcani. E poi un cane strabico, con il pizzetto da capra e gatta magra, grigia, con la bocca storta a causa di un ictus da stress. La finestra a sinistra conteneva due uomini, uno con la lunga chioma nera raccolta in due trecce, l'altro rapato quasi a zero. Sopra di loro una coppia apparentemente più convenzionale: lui con il viso affollato da barba, baffi, capelli e il muso di un soriano che spuntava dallo scollo a V della maglia. Lei con i capelli rosso carota, occhiali spessi e l'espressione da terrorista dell'Ira. Al centro della casa, proprio sopra il portoncino verde, si poteva scorgere un accenno di capigliatura e una scheletrica mano appoggiata al vetro dalla quale sembrava uscire un'immensa donna di colore. Mentre dietro si delineava la rettile sagoma di Pietro il camaleonte.

Mancava solo Ben. La sua immagine statica non riusciva proprio a riaffiorare.

Ma mi vedevo lì, in mezzo al cortile. Infierivo senza colpa su un uomo che mi guardava con il giudizio negli occhi. Le mie mani parevano prendere energia dal sangue che le copriva. Mai mi ero sentita tanto libera nella mia libera vita.

E finalmente sentivo di aver trovato ciò che avevo sempre cercato... come allora, alzai lo sguardo verso la casa. Gli altri erano spariti, tranne due uomini, uno che a stento arrivava alla finestra del primo piano e l'altro che aveva perso il suo colombo. Vidi su di me gli occhi di due uomini che mi amavano e la cui vita era cambiata per sempre, a causa mia.

Perché io porto vento e tempesta.
Ovunque vada, ovunque mi fermi.
Solo chi mi ama veramente potrà salvarsi.
Ma le ferite resteranno.

Impaginazione: Ivana De Innocentis

Finito di stampare nel mese di aprile 2007
per conto delle Edizioni Socrates
presso Graphicolor - Cerbara (PG)

Printed in Italy